Harlequin

un univers aussi bouleversant...
Quand il sait créer des
personnages aussi envoûtants...
il mérite
toute votre attention.

C'est pourquoi Harlequin
vous offre dès aujourd'hui
de partager et savourer
la nouvelle série Harlequin
ÉDITION SPÉCIALE...
les meilleures histoires d'amour...

Des millions de lectrices ont
déjà accueilli avec enthousiasme
ces histoires passionnantes.
Venez découvrir avec elles
la série
ÉDITION SPÉCIALE.

REBECCA FLANDERS

Des barrières invisibles

HARLEQUIN

Cet ouvrage a été publié en langue anglaise
sous le titre :

OPEN HANDS

Publié originellement par
Harlequin Books, Toronto

53, avenue Victor-Hugo, Paris XVIe - Tél. 500.65.00
ISBN 2-280-09078-3

Chapitre 1

Joey Gable se rendit compte qu'elle serrait les poings, nerveusement. Avec lenteur, elle s'obligea à déplier les doigts l'un après l'autre. Une tension telle nouait tous les muscles de son corps qu'elle craignait que son interlocutrice, de l'autre côté du bureau, ne s'en aperçoive. Or, il ne fallait surtout pas trahir la moindre anxiété devant un employeur potentiel. Elle s'efforça de se détendre, de décrisper son visage... et s'interdit de penser au nombre d'interviews qu'elle avait déjà subies, ces trois dernières semaines, sans le moindre succès.

Mme Wesley, qui la recevait, n'était pas beaucoup plus âgée qu'elle-même. Elle semblait gentille, relativement compatissante. La veille, elle lui avait même fait visiter l'ensemble de l'hôpital... Mais Joey n'avait aucune chance d'être engagée, elle le savait. Car pas une seule fois, on n'avait mentionné ce qui assombrissait son passé. Et cela l'inquiétait.

Elle tenta pourtant de raisonner avec optimisme. Cet établissement, isolé dans la campagne, manquait d'infirmières. Comment pourrait-on refuser une candidate aussi diplômée ? Elle possédait de nombreux atouts, une expérience vaste et diversifiée. Aucune charge de famille n'handicapait sa carrière. Elle s'avérait totalement disponible, et avait surtout désespérément besoin de travailler... Saurait-on en tenir compte ?

Puis, lorsque Mme Wesley adopta un sourire professionnel, légèrement contraint, Joey comprit qu'elle avait échoué. Elle agrippa son sac à main.

— Je vais me montrer franche avec vous, déclarait son interlocutrice.

Joey dissimula une grimace. Combien de fois avait-elle entendu cette phrase ? Elle devinait trop bien ce qui allait suivre.

— Vous présentez d'excellentes références, et s'il ne tenait qu'à moi je vous prendrais sur-le-champ. Malheureusement, le Conseil d'Administration...

— ... a jugé ma candidature irrecevable, compléta Joey.

Son sourire, qu'elle avait voulu sarcastique, était seulement empreint de lassitude.

— Je vous remercie malgré tout de m'avoir entendue, ajouta-t-elle.

Un court instant, Mme Wesley parut sincèrement désolée. Elle se trouvait dans une position inconfortable ; infirmière, elle aussi, elle comprenait le désarroi de sa collègue. Mais la crainte et une certaine lâcheté prenaient le dessus, et elle n'osait regarder en face celle que la presse avait traînée dans la boue. Joey se faisait presque l'effet d'une pestiférée, d'une félone qui avait trahi la noble profession à laquelle elle appartenait.

— Miss Gable, reprit doucement Mme Wesley, puis-je vous poser une question, avant que vous ne partiez ?

Joey hocha la tête.

— Eh bien, comment dire... Pourquoi n'envisageriez-vous pas de vous réorienter dans une autre branche ? Il ne manque pas de secteurs, dans le domaine médical, où l'on n'a pas de contact direct avec la clientèle. Vous devriez certainement trouver sans problèmes à vous reconvertir…

La candidate sourit avec amertume. Un autre secteur ! Comme si elle n'était qu'une simple employée des téléphones, ou une démarcheuse en porte-à-porte… Toutes activités, d'ailleurs, qui finissaient par lui paraître presque alléchantes devant la série de désillusions qu'elle subissait !

Personne, depuis le début, ne lui avait demandé si elle était réellement coupable ou non. Mais que répondrait-elle si, un jour, quelqu'un osait s'en enquérir clairement ?

Elle se leva, glissa son sac sur son épaule et poussa un imperceptible soupir. Puis, fixant l'autre droit dans les yeux, elle riposta :

— Puis-je, à mon tour, vous poser une question ?

Légèrement surprise, Mme Wesley acquiesça.

— M'auriez-vous bel et bien engagée, si cela n'avait tenu qu'à vous ?

Elle n'attendit pas la réponse. C'était inutile. Une honte coupable se lisait sans ambiguïté sur le visage de l'autre femme.

Un soleil aveuglant, lorsqu'elle émergea sur le parking de l'hôpital, lui fit cligner des yeux. Des infirmières, par groupes de deux et trois, passèrent à côté d'elle, bavardes et rieuses. Elles représentaient désormais un autre monde, une confrérie à laquelle elle n'appartenait plus.

C'était bon de humer l'air chaud et sec, de se débarrasser du lourd sentiment de défaite qui l'avait envahie dans le petit bureau. Le ciel du Texas, d'un bleu sans nuages, s'étendait au-dessus d'elle, et pendant un moment, le monde parut à nouveau riche de possibilités, de promesses de liberté.

Cette sensation illusoire ne dura pas. Une fois encore, elle avait perdu la bataille et se retrouvait au même point. D'un pas lent, elle regagna sa voiture, ouvrit grand la portière pour l'aérer un instant, puis elle prit place au volant et démarra.

Pourquoi s'obstinait-elle ainsi ? songea-t-elle avec désespoir. Jamais plus on ne la laisserait travailler comme infirmière, même si le tribunal l'avait pleinement acquittée. Pourquoi continuait-elle à se battre contre des moulins à vent ?

Mme Wesley, dans un sens, n'avait pas tort. A vingt-sept ans, avec les connaissances administratives et juridiques qu'elle possédait dans son domaine, il était sans doute possible de se reconvertir dans « une autre branche ». Dans la période de crise qui sévissait, cela n'avait rien de très facile, mais elle était une lutteuse. A force de volonté, elle devait réussir...

Or, c'était précisément cela qui la contrariait le plus. Elle n'aimait pas les échecs et, depuis trois semaines, ne cessait de les accumuler.

Mentalement, elle fit le compte de la somme qui lui restait. Bien peu... cela valait-il la peine de rester ici encore quelques jours, de courir après d'autres entrevues ? Sans doute pas. Mais l'idée de rentrer chez elle, définitivement vaincue, lui répugnait.

Elle haussa les épaules, puis, arrivée à son motel, engagea sa Honda poussiéreuse dans l'allée et se gara dans le parking. Après avoir coupé le contact, elle resta un instant immobile, dans la chaleur étouffante de l'après-midi.

La tragique ironie de la situation lui serrait la gorge. A quoi bon savoir lutter, comme elle s'en targuait ? A quoi bon avoir vécu huit mois d'angoisse, dans l'attente du procès et de l'acquittement, pour se retrouver ainsi les mains vides ? Elle avait serré les dents devant toutes les difficultés, le mépris, l'hostilité de ses collègues et de ses voisins. Elle avait vu ses supérieurs, ses anciens malades lui tourner le dos. Elle avait imposé à sa famille le cauchemar de la désastreuse publicité donnée au scandale... Sa mère, encore maintenant, n'osait plus se présenter dans les boutiques de la petite ville où elle avait passé toute son existence. Pourtant, se répéta-t-elle farouchement, elle avait gagné. La Cour du Texas l'avait déclarée innocente. Mais pour rien... Car toute sa vie, désormais, elle porterait les stigmates de celle qui s'est un jour retrouvée à la barre des accusés.

Les lèvres serrées, elle ramassa son sac et sortit du véhicule. Elle ignorait quelle serait la prochaine étape, mais elle n'abandonnerait pas.

Dans la chambre fraîche, le téléphone sonna au moment même où elle entrait. Elle hésita. Seule sa mère connaissait son numéro... Et, pour l'instant, elle n'avait pas le courage de l'affronter. Elle laissa bourdonner l'appareil une fois, deux fois... Puis, se maudissant de son bref instant de lâcheté, elle décrocha.

— Bonjour, petite fille, lança une agréable voix masculine, basse et bien timbrée. Depuis quand es-tu donc à Dallas ?

Elle se laissa tomber sur le lit, submergée soudain par un immense soulagement. C'était comme si une porte venait de s'ouvrir, laissant tomber un flot de lumière dans l'obscurité sinistre où elle se trouvait plongée. Comme si un sourire, enfin, lui répondait au moment où elle en avait le plus besoin...

— Cameron ! chuchota-t-elle, dans un souffle.

Son sang se mit à circuler plus vite dans ses veines. Cameron, enfin !

— Comment diable as-tu fait pour me retrouver ?

— Elémentaire, ma chère enfant. Ta mère a alerté la mienne qui, bien entendu, m'a aussitôt contacté. Le bon vieux système du téléphone arabe... Je ne mentionnerai pas ma déception en apprenant que depuis les deux jours où tu es ici tu ne m'as même pas donné signe de vie. Par contre, je ne te cacherai pas que ma chère maman te prépare en ce moment même ton plat favori, et qu'elle ne te pardonnera pas si tu ne viens pas le goûter ce soir !

Malgré elle, Joey se mit à rire.

— Je regrette de ne pas avoir plus d'appétit en ce moment !

Cameron rit à son tour puis, d'un ton plus grave, demanda :

— Dis-moi, Joey... Pourquoi ne m'as-tu pas téléphoné dès ton arrivée ?

La gorge à nouveau serrée, elle resta un instant silencieuse. Oui, pourquoi n'avait-elle pas composé le numéro de son plus vieil ami, ou même celui de sa mère, les seules personnes qu'elle connaissait en ville ?

— C'est... c'est compliqué, Cameron, balbutia-t-elle.

— Pourquoi ne pas m'expliquer tout cela pendant le dîner ?

Elle hésita.

— Ta mère... compte-t-elle vraiment sur ma présence ?

— Si tu ne viens pas, elle comprendra, tu le sais. Préfères-tu être seule ?

Elle ferma les yeux pour penser à lui. Ses longues mains brunies par le soleil, ses yeux noisette, ses sourires tendres et narquois...

— Oui, murmura-t-elle, ce soir j'aimerais autant rester seule.

— Parfait. Que mange-t-on, dans ton motel ?

— Des boîtes de conserve, des surgelés... en général pas assez cuits ou carbonisés !

— Exactement ce qu'il me faut. Je serai avec toi dans moins d'une demi-heure.

— Entendu, Cameron.

Elle raccrocha et s'étendit, un sourire jouant sur ses lèvres. Une seule personne au monde, une seule — M. Cameron Scott — comprenait ce qu'elle voulait dire par « rester seule ».

Chapitre 2

Cameron avait toujours considéré Joey Gable comme la femme la plus volontaire, la plus énergique qu'il eût jamais connue. Et probablement aussi, bien qu'il eût une large expérience en la matière, la plus fascinante.

Quand elle avait trois ans, et lui six, il l'avait un jour trouvée perchée sur le taureau le plus féroce de la ferme. Folle de joie, agrippée aux larges cornes, elle éperonnait vigoureusement l'animal, sans plus le craindre que le vieux chien fidèle que tous les enfants taquinaient. Personne ne savait encore à ce jour par quel miracle elle avait réussi à grimper sur son dos, et à s'en sortir indemne.

Joey était la plus jeune d'une famille de sept enfants ; elle avait quatre frères et deux sœurs et, dès son âge le plus tendre, avait dû apprendre à se battre pour conquérir sa place au soleil. Très vite, d'ailleurs, elle s'était distinguée comme la plus brillante, la plus audacieuse. Aucun défi ne l'arrêtait jamais. Elle était toujours la première au sommet de l'arbre le plus haut, la seule à passer la nuit sans compagnie dans une maison abandonnée, que l'on disait hantée… et à en émerger le matin, couverte de toiles d'araignées, pour déclarer qu'elle n'avait jamais aussi bien dormi.

Encore à présent, Cameron frissonnait en songeant à sa témérité. Lui-même, pour hardi qu'il fût, ne la suivait pas toujours dans ses entreprises. A huit ans, elle s'amusait à plonger du haut du toit de la grange, sur un énorme tas de foin placé plusieurs mètres plus bas. On risquait mille fois, en visant mal, de se fracasser le crâne, et Cameron n'avait jamais osé tenter l'expérience. Cependant, à la fois hypnotisé et terrifié, il la regardait faire, et ne recommençait à respirer que lorsqu'elle sautait à terre, rieuse et parsemée de brins de paille... Jamais, pourtant, il n'émettait la moindre mise en garde. C'eût été parfaitement inutile, et surtout il n'en avait pas la moindre envie : empêcher Joey de faire quoi que ce soit, ç'aurait été l'empêcher de mordre la vie à pleines dents, d'être elle-même. Fougueuse comme un étalon en pleine course, elle n'aurait pas supporté la moindre entrave.

Parfois, en fermant les yeux, il la revoyait encore au moment où elle allait sauter, ses nattes blondes aussi mordorées que le foin, les joues roses dans la brise tiède des mois d'été... Une intense concentration se lisait sur son petit visage ; tout son corps gracile se tendait et soudain, flottant à mi-chemin entre ciel et terre, elle semblait prendre son vol avant d'atterrir, comme un oiseau fugitif, d'une espèce inconnue.

Probablement était-ce à ce moment-là qu'il avait commencé à l'aimer.

Leurs deux familles se connaissaient depuis toujours. Leurs ranches — terme un peu ambitieux pour des exploitations somme toute modestes — étaient voisins. L'un après l'autre, les enfants Gable avaient quitté le foyer, pour se marier ou travailler dans les environs, mais ils revenaient souvent se réunir autour des grandes tablées bruyantes et chaleureuses, ouvertes à tous. Burt, le frère de Cameron, était rentré du service militaire avec une licence de pilote ; Cameron lui-même s'était engagé dans les gardes-côtes et, pendant quatre ans, était resté souvent absent, mais comme les autres, il revenait pour diverses occasions — mariage de l'un ou de l'autre, baptêmes, décès.

Cameron, puis Joey, avaient tous les deux perdu leur père à la fin de leur adolescence. La mère de Joey avait alors quitté son ranch pour emménager dans une petite maison, plus proche de la demeure d'une de ses filles. Burt et Cameron avait ouvert une agence de transport par hélicoptère et avaient à leur tour fait venir leur mère auprès d'eux, à Dallas, où tous deux résidaient.

Quant à Joey, devenue infirmière, elle avait choisi d'exercer sa profession un peu partout dans le monde, et personne — à l'exception de Cameron — ne savait jamais exactement où elle se trouvait. Avec lui seul, elle restait en contact. Parfois ils se rencontraient, puis se séparaient, sans bien savoir quand ils se reverraient... mais certains que toujours, à un moment ou à un autre, leurs chemins se croiseraient à nouveau.

C'était bien pour cela que Cameron se sentait inquiet de n'avoir eu aucune nouvelle de Joey durant cette pénible affaire de procès. Il avait appris peu à peu toute l'histoire grâce à sa propre mère, qui la tenait elle-même de Mme Gable, et avait écrit à Joey, à plusieurs reprises, pour lui proposer son aide, ou tout au moins une oreille compatissante. Elle ne lui avait pas répondu, et il n'avait pas osé téléphoner. A certains moments, il ne l'ignorait pas, le meilleur service à lui rendre était de la laisser en paix. Il regrettait seulement qu'elle ne fasse pas appel à lui, fût-ce pour le simple réconfort de sa présence.

Il arriva au motel un quart d'heure à peine après son appel et s'installa, pour l'attendre, dans le restaurant encore désert, tout en regardant machinalement le décor.

Puis il l'aperçut qui venait vers lui. Ses nattes blondes avaient disparu ; elle portait à présent ses cheveux souples et dorés coupés court, en auréole autour de sa tête. Mais ses yeux d'un brun chaud n'avaient pas changé, pas plus que sa bouche aux lèvres pleines qui, lorsqu'elle souriait ou faisait la moue, creusaient dans ses joues des fossettes qui lui rendaient soudain toute son insouciance d'enfant vive et enjouée. Il eut un rire attendri en la voyant s'avancer entre les tables. Elle avait gardé cette démarche décidée, énergique, si caractéristique... une façon de projeter le menton en avant et de regarder droit devant elle, qui soulignait d'autant plus, par contraste, la féminité gracieuse de sa mince silhouette. Il la retrouvait plus petite, plus légère que dans son souvenir.

Elle agita la main en le reconnaissant, mais seul un pâle sourire vint éclairer son visage, qui s'était creusé. Des cernes mauves assombrissaient son regard... Visiblement, l'épreuve l'avait marquée. Il se félicita qu'elle soit venue à Dallas. Il aurait ainsi l'occasion de savoir exactement où elle en était.

Elle se glissa sur la chaise en face de la sienne et, levant les yeux vers lui, sourit à nouveau. Enfin un visage ami... Elle n'aurait jamais cru que ce simple fait puisse s'avérer aussi apaisant, réconfortant. Pour la première fois depuis longtemps, on l'observait avec affection, sans la moindre trace de méfiance ou de mépris. Les larges épaules de Cameron semblaient prêtes, s'il le fallait, à soutenir le poids du monde... Elle exhala un soupir. Cher Cameron, toujours si disponible, si paisible, si rassurant...

— Bonjour, Cameron, murmura-t-elle.

Il lui fit un clin d'œil.

— Il y a si longtemps que nous ne nous sommes vus... Tu n'as pas très bonne mine, Joey, déclara-t-il avec sa franchise coutumière.

Elle se passa la main dans les cheveux en se laissant aller contre le dossier de sa chaise.

— Je l'admets... mais cela paraît logique, n'est-ce pas ? Etant donné ce que j'endure depuis quelques mois !

Son ton de voix, faussement négligent, ne le trompa pas. Elle avait l'air à bout de nerfs.

— Le monde est souvent une jungle, opina-t-il.

Ils échangèrent l'un de leurs regards complices, qui leur permettaient de se comprendre sans discours inutiles.

— Tes recherches de travail portent-elles leurs fruits ? reprit-il en étirant ses longues jambes sous la table.

Joey eut une moue désabusée.

— Pas vraiment !

Il la considéra pensivement un court instant, puis répliqua :

— La meilleure chose à faire, c'est de manger d'abord et de parler ensuite. Je n'ai pas eu le temps de déjeuner et je meurs de faim !

Elle sourit avec reconnaissance. Il comprenait qu'avant toute chose, elle avait besoin de se détendre, d'oublier un instant ses problèmes.

— Comment ta mère se porte-t-elle ? demanda-t-elle en se plongeant dans l'étude du menu.

— Toujours aussi pleine d'allant. Et à en juger par ce qu'on nous propose ici, nous aurions peut-être mieux fait de mettre à profit ses talents de cordon-bleu !

— La cuisine du motel est simple, mais nourrissante ! protesta-t-elle en riant. Donne-moi aussi des nouvelles de Burt et Mary, de leurs enfants...

— Ils se portent tous comme un charme. Mary est de nouveau enceinte... Le savais-tu ?

— Non ! Je l'ignorais...

La conversation se poursuivit ; Joey prenait plaisir à entendre parler des uns et des autres, à se retrouver dans une atmosphère familière. Tout en interrogeant Cameron sur sa famille, son travail, sa vie, elle dégusta avec appétit un plat pourtant peu alléchant. Tous les événements de l'année écoulée semblaient momentanément oubliés. Tout redevenait presque comme avant...

Le soleil faisait jouer, sur le visage de Cameron, des ombres et des reflets qui mettaient en valeur ses traits réguliers, d'une séduisante virilité. Comme chaque fois qu'elle le revoyait, la jeune femme ne pouvait s'empêcher de ressentir une certaine surprise. Dans son esprit, il avait gardé l'allure de l'adolescent qu'elle avait connu, et elle devait se réhabituer, à chaque fois, à son aspect d'homme fait.

En toute objectivité, d'ailleurs, elle le trouvait toujours aussi attirant. D'une taille nettement au-dessus de la moyenne, il se mouvait avec aisance, comme inconscient de ses larges épaules, de sa musculature parfaitement proportionnée. Joey s'émerveillait de l'impression de force sereine qui émanait de lui. Souvent, elle avait envie de poser les mains sur sa nuque, pour le simple plaisir de savourer sa chaleur, son énergie calmement maîtrisée... Mais elle n'osait pas, bien sûr. Plus précisément, elle n'osait plus, depuis longtemps...

Malgré sa large carrure, cependant, Cameron n'avait rien d'intimidant. Bien sûr, il n'ignorait pas la fascination qu'il exerçait sur le sexe opposé, et savait fort bien à l'occasion comment en faire usage. La plupart du temps, cependant, il n'y songeait pas. Les stratégies de séduction mises au point avec soin, voire un peu retorses, n'étaient pas son style. Les méplats osseux de son visage, malgré la rudesse apparente de l'expression, trahissaient souvent une certaine douceur, une sensibilité à fleur de peau. Et c'était bel et bien pour cela que Joey pouvait se confier à lui... Sans ambiguïté et sans fausse honte.

Soudain, elle se rendit compte qu'il s'était tu et l'observait. Evoquait-il, lui aussi, les souvenirs les plus précieux qu'ils avaient en commun ? Elle sentit ses joues s'enflammer. Mieux valait ne pas songer maintenant à certains épisodes de leur vie passée...

Avec décision, elle se ressaisit. Elle ne lisait d'ailleurs rien d'autre dans son regard qu'une compassion affectueuse.

— Eh bien, petite fille, lança-t-il enfin, tu te retrouves dans un fameux pétrin, si je comprends bien. Que comptes-tu faire ?

Elle soupira et secoua la tête.

— Je n'en ai pas la moindre idée, Cameron. Je ne comprends même pas comment j'ai pu croire qu'après le procès tout allait recommencer comme avant. J'ai fait preuve de naïveté, ou d'inconscience, au choix...

— Venons-en tout bonnement aux faits, répliqua le jeune homme d'un ton pragmatique. Je pense qu'il est temps. Donc, tu n'as pas eu de chance. N'importe quelle autre infirmière aurait pu se trouver aux côtés de Bobby Williams la nuit où il est mort : il s'est trouvé que c'était toi. Tu as fait tout ton possible, cela n'a pas suffi. La Cour t'a reconnue innocente, mais — contrairement à ce que tu avais prévu — aucun hôpital ne veut prendre le risque de prendre quelqu'un qui a été mêlé à un scandale. C'est de cette certitude qu'il faut partir, Joey, sans te voiler la face.

Il lui mettait les points sur les I, car il la connaissait. Elle avait choisi ce métier parce qu'elle haïssait la souffrance, certes, et qu'elle menait contre elle la lutte personnelle, résolue, d'une jeune femme active et en parfaite santé. Mais elle l'avait aussi choisi pour la liberté qu'il offrait : elle pouvait travailler six mois dans un hôpital, puis trois chez un client privé, partir dans une clinique étrangère, revenir... sans jamais se sentir tenue de demeurer dans un endroit précis. Cela lui permettait de voir de nouveaux horizons, de satisfaire sa soif de voyages et de changement. Or, si cette possibilité disparaissait, si son métier devenait une prison, elle n'aurait pas dû, selon lui, avoir trop de difficultés à y renoncer.

Elle l'avait écouté en silence. Un court instant, l'image de Bobby Williams, le jeune champion de football de vingt-trois ans terrassé par la souffrance sur son lit d'hôpital, lui traversa l'esprit. Apprendrait-elle jamais à vivre avec cette douloureuse vision ? Elle n'en savait rien. Dieu merci, Cameron n'avait pas prononcé le mot qu'elle redoutait le plus, et elle lui en était reconnaissante. L'euthanasie... un mot froid, impitoyable, qui la hantait depuis huit mois. Mais moins cruel, cependant, que l'autre : assassinat...

Cameron vit un voile sombre obscurcir son visage, puis s'estomper tandis qu'elle s'efforçait de réagir avec son énergie coutumière. Cependant, elle murmura d'un ton découragé :

— Je ne sais plus, Cameron. Je suppose qu'effectivement, je n'ai pas le choix. Il me faudra chercher autre chose...

Il fronça les sourcils. Elle ne l'avait pas accoutumé à cette indécision, ce désespoir...

— En outre, ajouta-t-elle les yeux baissés, je dois prendre une décision rapide. Maman m'a prêté l'argent du voyage, et il ne me reste déjà presque plus rien.

Il la contempla un long moment sans parler, d'un regard fixe qui la mettait mal à l'aise. A quoi songeait-il ? La soupçonnait-il de... de ne pas être innocente, après tout ? Si le doute l'effleurait lui aussi, cela empoisonnerait leur relation. Elle ne pourrait pas le supporter...

— Je vais te donner mon opinion, dit-il enfin, avec brusquerie. Tu es à bout de forces. En fait, je te crois même hors d'état de prendre une quelconque décision... Ce qu'il te faut, c'est un long, un véritable repos, qui te permette de te retrouver.

— Je ne fais que me reposer depuis huit mois, objecta-t-elle avec un sourire las. Maman me dorlote comme une enfant malade. Cela ne peut continuer...

— Personne n'a dit que cela devait continuer, coupa-t-il. Au contraire, tu devrais rester à Dallas, là où une occasion risque de se présenter.

— Cela me plairait bien, mais...

— Mais quoi ?

— Je n'ai ni logement, ni argent, énonça-t-elle avec patience.

— Eh bien, tu peux séjourner chez moi jusqu'à ce que cela s'arrange... Cela ne pose pas le moindre problème.

Totalement prise au dépourvu, Joey baissa à nouveau les yeux, et son regard tomba sur les mains de Cameron. Ces mains familières, aux doigts longs et fins, qui longtemps auparavant s'étaient posées sur son corps, l'avaient éveillée avec une délicate tendresse à la jouissance des sens... Elle resta muette de longues minutes.

Puis, avec lenteur, elle redressa la tête et croisa son regard. Se souvenait-il, lui aussi ? Sans doute pas ; son visage ne trahissait rien. Il y avait tellement d'années... Ils avaient tenté, à deux, de créer une certaine magie, puis l'avaient laissée s'envoler, s'évanouir. Désormais, cela faisait partie du passé...

D'une voix neutre, elle déclara :

— Voilà une proposition fort généreuse, Cameron.

Il haussa les épaules.

— Ne parlons pas de générosité... Je n'habite pas un palace, tu sais. Mais il y a de la place. Tu peux passer prendre tes affaires chez toi demain avec l'hélicoptère...

Elle avait oublié combien il s'avérait un redoutable organisateur.

— Pas si vite ! sourit-elle. Je n'ai pas les moyens de payer le transport aérien, et...

— Burt t'emmènera gratuitement. Il doit conduire deux clients à Lubbock de toute façon et comptait passer saluer ta mère.

La tête de la jeune femme lui tournait. Mais pourquoi pas, après tout ? Un ami lui rendait service. Elle en aurait fait autant pour lui... Oui, pourquoi pas ?

— Je ne voudrais pas m'imposer...

— Allons donc ! Sois prête à huit heures, je passerai te prendre.

Une fois que Cameron avait décidé quelque chose, il ne faisait jamais machine arrière.

— Cameron, je ne sais si...

Elle se tut et se gourmanda. L'ancienne Joey, elle, n'aurait pas hésité une minute... D'où lui venait donc ce côté indécis, ces scrupules ? Il avait raison. Probablement l'épuisement, les épreuves l'avaient-elles terrassée, plus qu'elle ne l'aurait cru.

Il régla la note, se leva, puis lui tendit la main avec un sourire chaleureux. Sans plus résister, elle posa sa propre main dans la sienne.

Ce fut aussi simple que cela.

Chapitre 3

Le lendemain matin, cependant, lorsque Cameron se présenta au motel, elle avait encore peine à mesurer ce à quoi elle s'était engagée. Silencieusement,elle posa sa légère valise sur le siège arrière et se glissa à côté de lui.

— J'ai appelé ta mère hier soir, pour la prévenir de votre arrivée, expliqua Cameron. Je me suis douté que tu oublierais... Elle vous attend, toi et Burt, pour déjeuner.

Joey lui adressa un sourire reconnaissant, teinté d'une vague anxiété. Elle le trouvait si sécurisant. Il pensait toujours à tout...

— Lui as-tu précisé... pourquoi je m'installais à Dallas ? demanda-t-elle. Chez toi ?

— Non ! plaisanta-t-il. Je l'ai simplement avertie de ta venue. Le reste dépend de toi, petite fille !

Joey soupira. Elle aurait préféré éviter cette confrontation avec Mme Gable... mais elle n'avait pas à se décharger de ses responsabilités sur Cameron. Il le lui faisait comprendre, avec tact.

Avait-elle eu tort de prendre cette décision, aussi impulsive ? Elle se raisonna : non, bien sûr. Impossible de rester plus longtemps chez sa mère, à tourner comme un lion en cage. A Dallas, enfin, elle aurait une chance de retrouver un emploi, d'échapper aux pesants souvenirs qui la poursuivaient partout dans sa bourgade natale. Dans l'anonymat d'une grande ville, elle pourrait repartir à zéro. C'eût été de la folie que de refuser la proposition de Cameron.

Pourvu, cependant, que Mme Gable partage elle aussi cette façon de voir...

Joey n'avait pas vu Burt depuis presque cinq ans, mais il n'avait pas changé. Elle retrouvait chez lui l'assurance sans faille, parfois mêlée d'arrogance, dont elle se souvenait. Il la souleva dans ses bras avec enthousiasme pour l'embrasser, plaisanta, répondit à deux appels téléphoniques en même temps puis s'éloigna sur le terrain avant qu'elle ait eu le temps de dire ouf, pour procéder aux dernières vérifications avant le vol. Cameron, avec un sourire amusé, lança « à ce soir » et disparut à son tour après lui avoir adressé un clin d'œil.

Une demi-heure plus tard, l'hélicoptère décollait. En voiture, il aurait fallu deux jours à la jeune femme pour faire l'aller-retour entre Dallas et Lubbock ; par la voie des airs, le trajet prenait moins de deux heures. Enchantée, elle s'enfonça confortablement sur son siège.

Burt avait pris les commandes. Derrière eux, les deux hommes d'affaires qu'il transportait s'étaient plongés dans leurs dossiers, et il consacra toute son attention à sa compagne. Faire assaut de charme, elle le savait, avait toujours constitué l'une de ses principales caractéristiques, et il s'en donnait à cœur joie, se montrant disert et enjoué. Pas une seule fois, il n'évoqua le procès, ce dont elle lui fut secrètement reconnaissante.

Pendant quelques minutes ; il la laissa même piloter elle-même, puis la félicita.

— Je t'ai toujours affirmé que je te trouvais douée, s'écria-t-il. Quand donc accepteras-tu que je te donne des leçons ?

— Qui sait ? Un jour, peut-être... répondit-elle évasivement.

Elle se plongeait avec émerveillement dans la contemplation du paysage qui s'étendait sous eux. Voler procurait une telle sensation de liberté...

Sans insister, il changea de sujet.

— Ainsi, tu comptes passer quelque temps à Dallas ?

Elle se demanda un court instant si Cameron avait expliqué qu'elle résiderait chez lui. Probablement : pourquoi cacherait-il la vérité à son frère ? Cependant, elle examina le visage de Burt avec attention en répondant :

— Oui. Cameron m'a offert l'hospitalité pour me permettre de chercher du travail.

L'expression du jeune homme resta parfaitement neutre.

— Tu ignores si cela risque de durer longtemps, j'imagine...

Rien de plus innocent que cette remarque ; pourtant, elle se sentait légèrement sur la défensive, comme si elle devinait chez lui une désapprobation sous-jacente.

— Il m'est difficile de prévoir, malheureusement.

— Bien sûr. Eh bien, nous serons heureux d'avoir l'occasion de te voir... Comme au bon vieux temps.

« Comme au bon vieux temps »... La phrase avait-elle réellement un double sens ? Ou bien son imagination lui jouait-elle des tours ? Se référait-il à leur enfance, quand ils formaient un inséparable trio, ou à cette époque plus récente où il s'était retrouvé plus ou moins exclu des liens étroits qu'elle avait entretenus avec Cameron ?

De toute façon, songea-t-elle avec amertune, ce nouvel arrangement n'aurait rien à voir avec « le bon vieux temps ». C'était une situation temporaire, et sa relation avec Cameron restait strictement platonique depuis longtemps.

Burt s'empara du micro, pour s'apprêter à atterrir, et ils n'abordèrent plus le sujet.

A sa grande surprise, une voiture l'attendait pour la conduire chez sa mère. Le jeune homme la traitait vraiment comme une passagère de première classe... Il expliqua qu'il la rejoindrait pour le déjeuner, après avoir réglé certaines affaires en ville. Joey le remercia avec chaleur, mais il haussa les épaules en souriant.

— Le succulent repas qui m'attend chez toi me dédommage largement de mes frais... Ce sera d'ailleurs à charge de revanche, puisque ma propre mère souhaite nous avoir à dîner ce soir, tous les trois.

Joey sourit, mais se sentit un peu dépitée. Une après-midi en compagnie de sa propre famille lui aurait tout à fait suffi pour la journée. En ce moment, elle avait surtout besoin de calme et de solitude.

Lorsque la voiture la déposa devant chez elle, elle vit sa mère assise sur le seuil, au soleil, une bassine de haricots verts posée devant elle. Joey l'embrassa et s'assit à côté d'elle pour l'aider.

— Cameron te dit bonjour, lança-t-elle gaiement, et Burt se réjouit déjà à l'idée du délicieux déjeuner que tu lui prépares.

Lilly Gable se mit à rire.

— Burt et Cameron, pourtant, ont pour mère une

remarquable cuisinière ! Et comme elle habite à deux pas de chez eux, j'imagine qu'ils ont souvent recours à elle !

La vieille dame n'avait jamais vraiment réussi à comprendre que Dallas, au contraire de Lubbock, était une ville très étendue, et qu'il fallait souvent une heure de route au moins pour se rendre chez l'un ou l'autre membre de la famille.

— As-tu rencontré Avis ? reprit-elle.

— La mère de Burt ? Pas encore. Nous... nous sommes invités à dîner chez elle, ce soir.

Joey hésitait à aborder le sujet. Mécaniquement, elle jetait les haricots écossés dans la bassine, tout en prêtant une oreille distraite au bavardage de sa mère.

— Parle-moi du travail que tu as trouvé, Joey ! Car c'est pour m'annoncer cela que tu es revenue, n'est-ce pas ?

La jeune femme sentit sa gorge se serrer. Cela n'allait pas être facile...

— Je... je n'ai encore rien de précis, Maman. A vrai dire...

Lilly haussa les sourcils.

— Aurais-je mal compris Cameron ? Il m'a bien dit que tu reprenais l'hélicoptère pour Dallas cet après-midi, pourtant !

Elle secoua la tête en soupirant.

— Il n'y a rien de plus exaspérant que ces communications longue distance. On ne saisit pas la moitié des paroles de l'interlocuteur... et Cameron, je dois l'avouer, ne s'est pas montré très loquace ! Il a raccroché au bout d'une minute, à peine. Il n'avait qu'à faire reverser le prix de l'appel. J'aurais volontiers bavardé plus longtemps...

Amusée malgré elle, Joey dissimula un sourire. Peu de gens avaient le talent de mettre un frein au flot de paroles qu'affectionnait Mme Gable. Cameron était l'un des rares.

— Son travail l'occupe beaucoup, glissa-t-elle avec tact. Ses affaires marchent très bien. D'ailleurs, il... il m'a proposé l'hospitalité à Dallas, le temps que je retrouve un emploi.

Il y eut un court silence, puis Lilly Gable lança d'un ton inquiet :

— Veux-tu dire que tu t'installes à Dallas avant même d'avoir le moindre engagement ? Cela me semble bien peu raisonnable, Joey chérie. Qui sait combien de temps cela peut durer ? Les Scott sont très aimables de t'héberger, mais je ne voudrais pas que tu t'imposes. J'ai entendu parler, en ville, d'une compagnie d'assurances qui...

Il fallait absolument réagir. Joey redressa la tête et riposta avec fermeté :

— Non ! Je ne travaillerai ni dans un bureau, ni dans une boutique... Je ne suis pas faite pour cela. Il m'est impossible de trouver un travail à ma convenance à Lubbock, tu le sais fort bien. Je dois songer à ma carrière, m'assurer un revenu suffisant...

— Mais tu peux très bien vivre avec moi, souligna sa mère, blessée, et par ailleurs...

Joey soupira. Cela se terminait toujours ainsi : elle finissait, quoi qu'elle dise ou fasse, par se sentir coupable, prise au piège.

— Maman, je te suis très reconnaissante de tout ce que tu fais, bien entendu. Mais j'ai besoin de mon indépendance, comprends-tu cela ?

— Oui... oui, naturellement, concéda la vieille dame.

Seulement, je n'aime pas te voir t'éloigner... Enfin ! Dallas n'est peut-être pas un mauvais choix, après tout. Et je serai rassurée de te savoir chez Avis Scott, qui saura s'occuper de toi comme...

La jeune femme se mordit les lèvres. Elle avait, sans le vouloir, suscité un terrible malentendu !

— Maman, je... je ne résiderai pas chez Avis, mais chez Cameron lui-même.

Lilly, profondément choquée, blêmit et lança à sa fille un regard horrifié.

— Chez... chez Cameron ? Tu veux dire... seule avec lui, dans son appartement ?

Joey esquissa un faible sourire.

— Oui, bien sûr ! C'est un arrangement amical. Inutile de songer pour autant à Sodome et Gomorrhe, tu sais !

— Eh bien ! Si l'on m'avait dit...

Les doigts fébriles, la vieille dame ôta son tablier, soudain très agitée. Visiblement, elle s'efforçait de réagir sans heurter sa fille de front, mais celle-ci se sentait malgré tout sourdement irritée. Pourquoi Lilly jugeait-elle bon de déclencher une tempête dans un verre d'eau ?

— Surtout, ne t'imagine rien d'extravagant, je t'en prie, exhorta-t-elle. Cameron me vient en aide comme le ferait n'importe quel ami. Il se trouve qu'il a un grand appartement, voilà tout. Et nous sommes tous les deux adultes depuis longtemps...

— Précisément ! jeta Lilly d'un ton ambigu. Après tout ce qui s'est passé, pourtant, j'espérais que tu te résoudrais à vivre un peu au calme. Mais non ! Tu as toujours été une tête brûlée...

Elle ramassa la bassine de légumes et disparut à

l'intérieur. Joey se sentait tendue, à bout de nerfs. Désormais, jusqu'à l'arrivée de Burt, il lui faudrait endurer une longue litanie de sermons... Impulsivement, elle cria :

— Je te rejoins dans une minute ! Je vais d'abord sortir mes valises de la grange.

Et elle se mit à courir, de toutes ses forces, inspirant à pleins poumons pour dénouer ses muscles raidis. A l'arrivée, elle se sentait enfin plus calme, prête à affronter le reste de la journée. La grange, louée à sa mère en même temps que la maison, ressemblait à celle de son enfance. On y respirait la même odeur de foin et de poussière, chaude et entêtante... Dans un coin, accrochée à un clou, une couverture pendait. Joey la reconnut et s'approcha, le cœur serré. Une marée de souvenirs remontait soudain à son esprit.

C'était un week-end. Celui où Avis Scott, la mère de Burt et Cameron, fêtait son anniversaire. Lilly Gable avait préparé un déjeuner pantagruélique, et Joey, qui travaillait alors dans un hôpital voisin, avait offert ses services. La cacophonie, autour de la table où étaient réunies les deux familles, semblait encore plus éprouvante qu'à l'ordinaire.

Tous les frères et sœurs de Joey, en particulier, avaient apparemment résolu, pour d'incompréhensibles raisons, de se liguer contre elle. On critiquait sa façon de vivre, ses fréquents changements de résidence ; son frère aîné jetait avec mépris qu'elle aurait mieux fait de choisir « une voie d'avenir, l'informatique, par exemple ». L'une de ses sœurs s'étonnait qu'elle pût supporter la présence quotidienne des malades. Sa mère, à son tour, se lamentait qu'elle « ne se stabilise pas enfin un peu, près du toit familial... »

Au bout d'un moment, les critiques incessantes et le brouhaha de cinq ou six conversations mêlées avaient fini par donner à Joey une épouvantable migraine. Par-dessus le marché, il s'était mis à pleuvoir, et Lilly Gable avait fermé les fenêtres ; la température, dans la petite pièce surpeuplée, n'avait pas tardé à devenir étouffante.

N'y tenant plus, Joey avait saisi le premier prétexte pour s'éclipser. Se faufilant dans la cuisine, elle était sortie dans la cour en refermant discrètement la porte derrière elle, puis avait couru, sous la pluie rafraîchissante, jusqu'à la grange.

Le crépitement de l'eau, sur le toit et les gouttières, tintait gaiement ; l'averse murmurait comme une présence familière et discrète. Deux ou trois oiseaux, abrités de l'orage sous des feuillages voisins, mêlaient leur pépiement au frémissement des gouttes. Tout redevenait soudain, apaisant...

Joey décrocha une vieille couverture pour s'en envelopper, et s'allongea sur la paille en poussant un soupir de soulagement.

Soudain, une ombre se dessina sur le seuil ; elle tressaillit, puis se détendit aussitôt. C'était Cameron. Lui aussi trempé de pluie, il s'approcha, frissonnant.

— Quel calme ici, n'est-ce pas ? remarqua-t-elle en riant. J'ai vraiment eu besoin de m'échapper cinq minutes...

Elle s'écarta pour lui faire place sur la couverture. Il avait ôté sa chemise et s'essuyait le torse.

Se retrouvaient-ils là, seuls dans la vieille grange battue de pluie, totalement par hasard ? Au plus profond d'eux-mêmes, ils n'en étaient pas sûrs. L'instant paraissait presque prédestiné, comme si une force mystérieuse, difficilement cernable, les avait guidés.

Car lorsque leurs regards se croisèrent, ils échangèrent un sourire qui avouait déjà tout. Ils savaient, sans avoir besoin de le dire, comment l'interlude se terminerait.

Durant leur adolescence, comme toutes ses camarades, Joey n'ignorait pas que Cameron était le plus séduisant des garçons du collège et qu'il remportait tous les suffrages féminins. Une fois, même, il l'avait embrassée, elle s'en souvenait. Elle avait quinze ans, jouait encore un peu les garçons manqués, et l'expérience les avait à la fois troublés et embarrassés. Ils se connaissaient depuis si longtemps ! Spontanément, ils avaient préférés rester « amis », et avaient eu leurs « flirts » chacun de leur côté, amourettes dont d'ailleurs ils ne parlaient jamais.

Puis, la première fois qu'elle avait vu le jeune homme dans son uniforme de garde-côte, elle avait ressenti un véritable coup au cœur. Sa virilité, sa séduction s'étaient affirmées ; sa simple présence la perturbait considérablement. Mais, une fois encore, ils en étaient revenus à leur complicité d'enfance, empreinte de pureté et éloignée de tout autre considération. Cameron avait alors une amie régulière, et Joey, qui allait encore au collège, un « boy-friend ».

En somme, malgré toute l'expérience qu'elle avait acquise, la jeune femme n'avait jamais vu en Cameron, avant cette après-midi dans la grange, un être véritablement sexuel. Plus exactement, c'était une notion qu'elle s'était toujours efforcée de refouler avec soin.

Lorsqu'elle était venue travailler à Dallas, ils avaient commencé à se voir de plus en plus régulièrement.

Leurs sorties, peu à peu, avaient pris un autre tour, sans même qu'ils s'en rendent compte.

Et ce qui se passait ce jour-là, n'était que l'aboutissement logique d'un long mûrissement...

Lovée dans la couverture, Joey sentit les battements de son cœur s'accélérer, comme si une chose merveilleuse, attendue depuis longtemps, allait enfin se produire.

Cameron se penchait sur elle, le regard à la fois rieur et tendre.

— Je me souviens de cette couverture... Nous nous en servions pour fabriquer des tentes lorsque nous étions très jeunes, n'est-ce pas ? Et puis, nous jouiions aux pirates...

— C'est vrai, murmura-t-elle en souriant. Il y a si longtemps !

Il glissa son bras autour de sa taille et l'attira à lui, d'un geste parfaitement naturel. La pluie crépitait toujours, mais un premier rayon de soleil commençait à percer les nuages, dessinant l'ébauche d'un arc-en-ciel. Là, dans le foin, il faisait chaud et bon...

Elle leva les yeux vers lui, avec timidité d'abord, puis avec une certaine hardiesse. En rosissant légèrement, elle questionna :

— Te rappelles-tu... la fois où tu m'avais embrassée ?

Il sourit, une lueur de gravité dans le regard, et repoussa sur le front de Joey une mèche humide.

— Oui, très bien... Dieu sait ! C'est l'une des expériences les plus... déconcertantes que j'ai jamais connues.

— Tu m'avais dit que... j'étais trop jeune.

— Bien sûr !

— J'avais quinze ans, Cameron !

— Et moi, dix-huit, souffla-t-il.

Il laissa courir sa main sur son visage, son cou, la ligne souple de son épaule. Elle avait l'impression qu'une traînée brûlante courait sur sa peau.

— Si j'avais été plus âgée, haleta-t-elle, aurais-tu... aurais-tu...

Elle n'acheva pas sa phrase, et il ne compléta pas. Ses doigts, à présent, effleuraient ses seins, sous la toile mince du chemisier, et sa bouche vint couvrir la sienne.

Joey, jusque-là, avait abordé sa vie sexuelle comme tous les autres aspects de son existence : avec enthousiasme et énergie.

Il s'agissait d'une activité agréable, d'un moment de détente comme tant d'autres, et s'il y manquait quoi que ce soit — une certaine richesse spirituelle, un échange — elle n'y avait jamais prêté attention. Jusqu'à cet après-midi avec Cameron, où pour la première fois elle découvrait qu'il pouvait s'agir de bien autre chose.

Avec tendresse et patience, il menait le jeu, refusant de se hâter, de se précipiter. Et, ce faisant, il la faisait pénétrer dans un nouvel univers dont elle n'avait pas soupçonné l'existence ; un univers où le temps semblait se suspendre, tant il s'agissait de savourer la moindre minute, de se plonger corps et âme dans les sensations à la fois les plus infimes et les plus exquises.

Jamais, auparavant, avec qui que ce soit d'autre, un baiser ne lui avait paru aussi magique. Jamais elle n'avait senti un tel feu, à la fois insatiable et étrangement apaisant, la parcourir...

Il avait délicatement ôté le chemisier qu'elle portait et, avec lenteur, parcourait sa peau de ses lèvres. Lorsqu'il glissa son corps dénudé contre le sien, elle eut l'impression que son cœur allait cesser de battre ; un tourbillon l'emportait, comme une succession de vagues toutes plus tièdes, plus impétueuses les unes que les autres.

Le point culminant s'avéra aussi merveilleux, aussi bouleversant que tout ce qui l'avait précédé. Longtemps, elle devait se souvenir du sourire de Cameron tandis qu'ils communiaient dans l'instant le plus secret, le plus inoubliable de toute leur existence...

Il lui apprenait, en l'espace de quelques heures, ce que de longues années dispersées, souvent frustrantes sans qu'elle le sût, avaient laissé dans l'ombre ; l'accord parfait, harmonieux, qui se produisait lorsque deux âmes partageaient une complicité aussi complète que l'entente de leur corps. Avec lui, la compréhension n'avait pas besoin des mots ; ni l'un, ni l'autre n'avait besoin d'exprimer son désir pour le faire aussitôt partager. Aux yeux de Joey, cette fusion avait quelque chose de miraculeux. Ce n'était pas la simple rencontre de deux pulsions physiques, mais celle de deux personnes à part entière, unies dans un échange aussi spirituel que corporel.

Pendant un long moment, ensuite, ils étaient restés enlacés, immobiles, tandis que la pluie tambourinait toujours sur le toit, avec un son allègre.

— Joey, avait enfin murmuré Cameron d'une voix rêveuse, pourquoi avons-nous attendu si longtemps ?

Elle avait gardé le silence, ne sachant que répondre. Tout cela était si nouveau pour elle...

Et sans doute avait-elle commis là la plus grave erreur de sa vie. Elle n'avait pas su mesurer à quel point sa découverte avait de l'importance, et ne l'avait compris que bien après.

Une fois qu'il était trop tard.

— Joey ? fit soudain la voix de sa mère, tirant brusquement la jeune femme de ses songes. As-tu trouvé tes valises ?

Joey raccrocha la couverture à son clou et prit ses deux mallettes de voyage sur les étagères.

— Oui ! me voici, répondit-elle.

Lorsqu'elle sortit de la grange, elle fut presque surprise de se retrouver en plein soleil, comme si elle s'était attendu à ce qu'il pleuve.

Pensive, elle regagna la maison. Comment avait-elle pu laisser un tel bonheur, celui qu'elle avait connu en ce lointain après-midi avec Cameron, lui glisser des mains ?

Chapitre 4

Dieu merci, le déjeuner chez Mme Gable ne s'avéra pas aussi éprouvant que sa fille ne l'avait craint. La vieille dame n'osa pas lancer d'acerbes commentaires devant Burt Scott ; en outre, probablement se faisait-elle peu à peu — fût-ce à contrecœur — à l'idée qu'il était bien inutile d'aller contre la volonté de Joey... Elle se résignait à l'inévitable et s'efforçait de faire bonne figure.

Joey, cependant, percevait sans ambiguïté sa silencieuse désapprobation. Lilly Gable, par-dessus tout, ne supportait pas de voir la dernière de ses enfants s'éloigner du foyer... Mais la jeune femme, outre qu'elle avait farouchement besoin de son indépendance, se refusait avec fermeté à imposer plus longtemps à sa mère le poids financier de sa présence.

Par ailleurs, tout au long des huit mois où elles avaient vécu sous le même toit, la cohabitation n'était pas allée sans heurts. Mme Gable faisait partie de ces natures toujours promptes à se lamenter, difficilement capables de jouir sans arrière-pensée des plaisirs les plus simples de l'existence. Elle se livrait à d'incessantes récriminations et l'atmosphère, souvent, devenait irrespirable. En emménageant chez Cameron, Joey avait l'impression d'un ballon d'oxygène. Le fait de partir, dans un sens, lui permettrait de préserver sa santé mentale, mise à dure épreuve.

Tandis que Burt et son hôtesse prenaient le café sur la véranda en savourant le soleil, Joey monta dans sa chambre préparer ses bagages. Méthodiquement, elle fit le tri de ce dont elle aurait le plus besoin. Cela prit peu de temps ; ses fréquents voyages l'avaient accoutumée à une remarquable efficacité.

Lorsqu'ils atterrirent à l'aéroport de Dallas-Fort Worth, Cameron les attendait. Il avait passé la journée à l'entretien d'un Cessna récemment acquis par les deux frères et, après avoir embrassé Joey, il prit une douche et se changea. Quelques minutes plus tard, les bagages chargés dans le coffre, ils prenaient le chemin de son appartement.

— Nous passerons poser tes valises, et ensuite nous rejoindrons Burt et sa femme chez ma mère, avait-il annoncé en démarrant.

Joey avait eu un sourire las, sans oser expliquer combien la perspective d'un nouveau repas familial lui pesait. Puis une idée, soudain, lui traversa l'esprit.

— A ce propos, Cameron... j'aurais peut-être pu loger chez elle, le temps de mon séjour à Dallas, ou encore chez Burt et Mary. Cela m'ennuierait de... de t'envahir.

— Ils n'ont la place ni les uns ni les autres, répliqua-t-il prosaïquement. En outre, je suis le premier à avoir eu cette idée... J'ai donc priorité !

Il lui adressa un clin d'œil malicieux et ajouta :

— Serais-tu... inquiète pour ta réputation ?

Elle ne put s'empêcher de rire.

— Pas le moins du monde, rassure-toi !

Non, le qu'en-dira-t-on ne la troublait pas. Pourquoi diable se sentait-elle ainsi anxieuse, préoccupée ?

Ce soir-là, en tout cas, elle n'eut certes pas loisir d'y réfléchir. Dès l'instant où ils eurent garé la voiture devant la demeure d'Avis Scott, trois bambins plein de vie — les enfants de Burt et Mary — se précipitèrent sur eux pour les accueillir. Ils s'échelonnaient de trois à sept ans et rivalisaient de cris et de bourrades pour attirer l'attention de leur « oncle Cameron ».

Assourdie par le tumulte, Joey s'aperçut avec surprise que le jeune homme avait l'air d'adorer les enfants. Il les calma l'un après l'autre avec une patience olympienne, distribua à la ronde des chewing-gums qu'il gardait visiblement dans sa poche pour cet usage, et pour finir dénicha un ballon qui suscita chez les trois petits diables des cris ravis. Quelques minutes plus tard, ils étaient plongés dans une partie de football animée.

Mary, enceinte de huit mois, embrassa Joey comme une amie de longue date, alors qu'elles ne s'étaient rencontrées qu'à de rares occasions. La mère de Cameron lui jeta un coup d'œil aigu puis, après avoir déclaré avec gentillesse « qu'elle aurait eu bien besoin de se remplumer ! » l'invita à les suivre dans la maison.

Les préparatifs du repas se déroulèrent dans un capharnaüm qui rappelait à Joey son enfance. Les cris des petits, les réprimandes agacées des parents, les conversations enjouées, mais qui s'achevaient en épuisants chassés-croisés... Cela aurait pu susciter en elle une certaine nostalgie, mélancolique ou pour le moins amusée, mais la lassitude l'emportait. Elle n'avait jamais bien supporté les groupes nombreux et bruyants, et sentait ses muscles se raidir de fatigue.

Lors d'un bref moment de répit, tandis qu'Avis et Mary réglaient entre elles quelque menu problème domestique, Joey en profita pour sortir un instant dans le patio.

Les maisons voisines l'encadraient sur trois côtés, tandis que celle des Scott fermait le quatrième, et il n'était guère plus grand qu'un mouchoir de poche. Joey s'étonnait toujours qu'au Texas, où s'étendaient de vastes zones totalement inhabitées, l'on construise des villas aussi rapprochées les unes des autres, même dans un quartier aussi résidentiel que celui où ils se trouvaient. Apparemment, les gens paraissaient prendre fort bien la chose et vivre en bonne entente. Elle se demandait si, pour sa part, elle ne ressentirait pas une certaine claustrophobie. Etait-elle donc la seule, dans tout l'Etat, à avoir un tel besoin d'espace ?

Cameron, un peu plus loin, avait repris son jeu de ballon avec les enfants et, pour se sentir plus à l'aise, il avait ôté sa chemise. Ses muscles jouaient avec souplesse lors de ses moindres mouvements. Sans presque s'en rendre compte, elle se mit à le contempler fixement, comme fascinée par une certaine beauté animale qui émanait de lui... et à sa grande surprise, une subite sensation, dans sa gorge, lui fit presque monter les larmes aux yeux, comme un souvenir longtemps oublié ressurgissant à la surface. Agacée contre elle-même, elle se détourna.

La porte-fenêtre du salon s'ouvrit et Mary vint la rejoindre dans le patio. Spontanément, Joey lui tendit une chaise de jardin.

La future mère s'y laissa tomber avec gratitude. Avec ses cheveux noirs et ses grands yeux gris, elle était encore ravissante, mais ses maternités successives l'avaient alourdie et son visage portait les stigmates d'une immense fatigue.

— Cameron nous a annoncé que vous alliez séjourner quelque temps chez lui, déclara-t-elle en souriant. J'en suis ravie, car nous habitons tout près. Nous pourrons déjeuner ensemble à l'occasion…

Joey redoutait la perspective de passer plusieurs heures en compagnie des trois petits tyrans, mais elle répondit gentiment :

— Bien sûr ! Avec plaisir… Seulement, ma priorité sera d'abord de retrouver du travail.

Une lueur envieuse traversa le regard de Mary.

— N'avez-vous pas travaillé sur un yacht de croisière, une fois ?

— Si, il y a quelques années. Mais à vrai dire, j'ai eu de nombreux emplois depuis !

Y compris, songea-t-elle amèrement, celui qui avait mis sur sa route, à l'hôpital d'Austin, un jeune homme du nom de Bobby Williams…

— Ce doit être merveilleux de travailler sur un bateau, soupira son interlocutrice. N'avez-vous pas eu envie de continuer ?

Joey eut un léger rire.

— Vous savez, au bout de six mois sur un yacht, aussi luxueux soit-il, on commence à se sentir très à l'étroit. Je finissais par tourner comme un lion en cage !

Mary hocha la tête, mais elle paraissait sceptique.

— Je m'en souviens, j'ai souvent entendu Cameron dire que vous ne supportiez pas de rester longtemps au même endroit. Quelle chance vous avez, d'avoir autant voyagé ! Voir sans cesse des endroits différents, rencontrer des gens passionnants…

— C'est vrai, murmura Joey, cela me plaît beaucoup.

Elle ne mentait pas. Elle adorait les nouveaux horizons, les défis qu'il lui fallait sans cesse relever. Cependant...

Avec une ombre de tristesse, elle ajouta :

— Je ne sais si, en fin de compte, cela m'a beaucoup servi...

Le visage de Mary se fit grave.

— Je voudrais vous dire une chose, Joey. A aucun moment, aucun d'entre nous n'a prêté le moindre crédit à toutes les horreurs que l'on a colportées sur votre compte. Jamais notre confiance en vous n'a failli. Nous sommes de votre côté... Vous pouvez compter sur nous.

Joey se sentit émue jusqu'aux larmes. Mary la connaissait à peine, et pourtant... D'une voix étranglée, elle balbutia un remerciement.

Avis Scott entrouvrit la porte-fenêtre pour avertir que le dîner était servi. Les deux jeunes femmes se levèrent et, échangeant un sourire complice, entrèrent dans la maison.

Le repas lui-même prit une tournure parfaitement apocalyptique. Il fallut quinze bonnes minutes à Cameron pour convaincre les trois garnements qu'il convenait de se laver les mains avant de passer à table : des bruits d'eau éclaboussée et des rires suraigus parvenaient de la salle de bains. Lorsqu'ils réapparurent enfin, et se hissèrent en hurlant d'enthousiasme sur leurs chaises, Joey se sentit émerveillée du calme de Cameron. Il paraissait capable d'affronter le chaos le plus éprouvant sans jamais se départir de sa sérénité.

Avis avait préparé des plats tous plus délicieux les uns que les autres, mais Joey trouvait difficile de les savourer en toute quiétude. A chaque instant, Mary devait ramasser une serviette tombée, séparer deux petits combattants échevelés, persuader l'un ou l'autre d'utiliser sa fourchette et non ses doigts... Apparemment habitués à ce vacarme, les membres de la famille Scott restaient imperturbables. Quatre conversations différentes, au moins, se déroulaient en même temps, et au bout d'un moment, les nerfs à vif, Joey renonça à tenter de les suivre. Comme à chaque fois, dans ces cas-là, le cercle d'acier d'une migraine douloureuse commençait à lui enserrer le crâne.

Dieu merci, après avoir englouti leur dessert, les trois bambins reçurent l'autorisation de quitter la table et filèrent dans le patio. Les adultes se détendirent devant leur tasse de café... et, à cet instant précis, Cameron annonça d'un ton négligent à sa mère que Joey, le soir même, allait emménager chez lui.

Furieuse, elle lui jeta un regard meurtrier. Pourquoi n'avait-il pas attendu de se retrouver en tête à tête avec elle ? Après avoir subi les récriminations de sa mère, devait-elle endurer aussi celles de Mme Scott ?

Cependant, à son immense surprise, la vieille dame se borna à hocher la tête en déclarant d'un ton placide :

— Joey habitera chez toi ? Très bien. Dans ce cas, je vais te donner de la literie supplémentaire...

Et, sans autre commentaire, elle quitta la pièce pour aller quérir une pile de draps et de couvertures !

Eberluée, Joey croisa le regard amusé de Cameron. Décidément, Mme Scott avait une forte personnalité, pour une femme de sa génération ! Combien de mères auraient-elles aussi bien réagi en apprenant que leur fils allait héberger une jeune fille ?

Une demi-heure plus tard, les bras chargés de linge, ils prenaient congé de la famille. Cameron avait expliqué que sa compagne se sentait lasse de sa journée, et

Joey, effectivement épuisée, n'avait pas protesté. Après avoir remercié Mme Scott avec chaleur, elle prit place dans la voiture.

Cameron s'assit au volant, referma sa portière et, l'air taquin, glissa derrière la tête de la jeune femme l'oreiller supplémentaire que sa mère venait de lui confier. Joey ne put s'empêcher de rire. Les yeux fixés sur elle, il lui passa tendrement la main sur la nuque.

— Comment te sens-tu ? Pas trop à bout de nerfs ?

Elle poussa un profond soupir et se lova sur son siège.

— Pas tout à fait, mais presque ! Surtout, ne te méprends pas, Cameron. Ta famille est merveilleuse, mais...

— Parfois un peu envahissante, je l'admets !

Tout en roulant, il mit la radio, et une musique douce, apaisante, s'éleva dans le véhicule. Comprenant que Joey avait besoin de se détendre, le conducteur gardait le silence, et elle lui en était reconnaissante. Son dos lui faisait mal, un sourd bourdonnement de fatigue battait à ses tempes... Il lui faudrait un moment pour s'ajuster aux changements qui s'accumulaient dans son existence.

Cameron possédait un appartement agréable, dont les dimensions n'avaient rien d'excessif, mais qui se trouvait au dernier étage et était pourvu d'un immense balcon d'où l'on découvrait toute la ville. Joey poussa un cri émerveillé devant la beauté de la vue. Puis, tandis que Cameron redescendait à la voiture chercher les bagages — en refusant fermement son aide — elle explora le reste des lieux. La cuisine, gaiement peinte en jaune, n'était pas très grande mais organisée de façon très rationnelle. Joey ouvrit le réfrigérateur et, amusée, n'y découvrit rien d'autre que six œufs et deux bouteilles de bière... Cameron, malgré tous ses talents, ne devait pas passer beaucoup de temps à cuisiner !

Le living-room, assez vaste, s'ouvrait sur le balcon, et un joli mobilier de bois sombre, aux lignes sobres, le décorait. Un énorme divan trônait contre le mur ; à côté d'un fauteuil assorti, une petite table avec une lampe invitait à la lecture tranquille. Un aquarium jetait une note fraîche, des coussins traînaient un peu partout sur l'épaisse moquette immaculée... Il émanait de l'ensemble une atmosphère accueillante et confortable, une chaude intimité. Joey sentit qu'elle allait s'y plaire.

A sa grande surprise, elle s'aperçut qu'il n'y avait qu'une seule chambre à coucher, ce que Cameron avait passé sous silence. Une fois encore, le souvenir de la pluvieuse après-midi de leurs vingt ans traversa l'esprit de la jeune femme ; elle s'empressa de le chasser. Cependant, une sourde inquiétude la submergeait. Pourquoi Cameron avait-il omis ce détail ? Qu'avait-il donc exactement en tête ?

Lorsqu'il réapparut, elle résolut d'éclaircir les choses sur-le-champ.

— Dis-moi, je t'en prie, où vais-je donc dormir ? questionna-t-elle.

Il déposa la literie sur le fauteuil.

— N'as-tu pas trouvé la chambre ? répliqua-t-il nonchalamment.

Puis, s'emparant des valises, il ajouta :

— Dans ce cas, suis-moi... C'est par ici.

Elle hésita, et malgré elle, une lueur anxieuse se trahit dans son regard. Imperceptiblement amusé, il expliqua avec patience :

— Ce divan se déplie. C'est là que je dormirai...

C'est très confortable. Nous ne partagerons que la salle de bains ; rien de plus simple.

Curieusement, cette réplique n'apporta à Joey aucun soulagement, et ne fit au contraire que la troubler plus avant. En effet, l'arrangement semblait parfaitement naturel au jeune homme, comme si rien d'autre ne lui avait traversé l'esprit. Mais n'avaient-ils pas été... amants ? Fût-ce il y a bien longtemps ? Il aurait paru plausible que Cameron, même sur le ton de la plaisanterie, mette à profit l'occasion pour tenter de faire resurgir le passé, d'une façon ou d'une autre. Or, il se comportait comme si rien, absolument jamais, n'avait existé.

Devant la porte de la chambre, elle balbutia :

— Je... je ne veux pas te chasser, Cameron. Je prendrai moi-même le canapé.

Il posa les valises et haussa les épaules.

— Comme tu voudras. Ce qui compte pour l'instant, fit-il en la prenant par la main pour la reconduire dans le salon, c'est que tu te reposes sans plus attendre. Tu pourras défaire tes bagages demain matin.

Il la souleva comme une plume et l'allongea sur le vaste canapé. Puis, après l'avoir déchaussée, il entreprit de lui masser les chevilles.

C'était une sensation agréable, infiniment relaxante. Les yeux mi-clos, Joey glissa un coussin derrière sa tête et poussa un soupir de bien-être.

— Interdiction de sortir demain, ordonna Cameron d'un ton sévère. Ce dont tu as besoin, c'est d'une journée entière de farniente !

— Je le crois aussi, en fin de compte, murmura-t-elle d'une voix somnolente. J'ai tellement marché ces derniers jours...

Dans le petit appartement de Cameron, perché sous

les toits, elle se sentait enfin en sécurité, protégée comme dans la chaleur d'un nid. Pour la première fois, elle commençait à entrevoir la possibilité de mettre un terme au long cauchemar qu'elle vivait. Une lueur d'espoir semblait se faire jour...

Elle ouvrit les yeux et, avec un sourire, souffla :

— T'ai-je dit combien je te suis reconnaissante de tout ce que tu fais pour moi, Cameron ?

— Aucune importance si tu l'as déjà dit. Je ne me lasse pas de l'entendre, plaisanta-t-il.

Impulsivement, elle faillit tendre la main pour toucher son visage, si proche d'elle, si tendre. Mais elle se retint et ce fut lui, au contraire, qui lui effleura la joue.

— Je parle sérieusement, Joey, murmura-t-il. Demain et même après-demain, tu dois ne penser à rien, te détendre en priorité. Cela me paraît indispensable. Tu dois reconstituer ton énergie...

Avec une petite grimace, elle répliqua :

— Pour cela, il me faudrait plus de deux jours, j'en ai peur !

— Alors, prends tout le temps qu'il te faut.

Comme il était réconfortant d'entendre sa voix calme, rassurante... Rien, à présent, ne la tentait plus que de cesser un moment de lutter, de se laisser dorloter par Cameron, en oubliant toutes ses préoccupations. Et, d'instinct, il avait compris cela, et le lui offrait, en toute simplicité. Rester oisive aussi longtemps qu'il lui plairait, cela paraissait un curieux mot d'ordre ; pourtant, pour la première fois de sa vie, elle l'acceptait et s'en réjouissait.

Cameron tira un coussin pour s'asseoir près d'elle, sur la moquette.

— D'après ta mère, déclara-t-il, tu as travaillé dans un bureau, il y a quelques mois.

— C'est exact. Comme secrétaire, à mi-temps, afin de l'aider un peu à faire face aux factures...

Une ombre parcourut son visage et elle frissonna.

— C'était affreux, Cameron. Ils m'avaient mise dans un horrible petit bureau poussiéreux, et je passais mon temps à aligner des colonnes de chiffres... J'ai cru devenir folle. Qui plus est, au bout d'un moment, les gens ont appris la vérité sur mon passé. Ils ont commencé à me regarder d'un drôle d'air, et...

Elle se tut. Cameron souffrait de la voir aussi lasse, aussi vulnérable. Il n'osait imaginer les épreuves qu'elle avait traversées.

Elle baissa les yeux et reprit au bout d'un moment :

— Sais-tu, ma mère a dû vendre ses derniers biens de famille pour payer mon avocat...

Il resta silencieux un instant, puis répliqua d'un ton volontairement sobre et pragmatique :

— Et, naturellement, tu te sens coupable envers elle à cause de cela...

— Entre autres choses, murmura-t-elle.

— Par exemple, sans comprendre pourquoi, tu haïssais aussi la compassion dont elle t'entourait, n'est-ce pas ? Tous ces « ma pauvre petite, ma pauvre chérie », ses efforts maladroits pour t'aider...

Surprise de sa perspicacité, Joey acquiesça.

— Oui. Curieusement, plus elle se lamentait sur mon sort, plus j'avais tendance à lui en vouloir, et plus je la culpabilisais de cela...

— Parce que tu avais l'impression qu'elle essayait de te retenir, de te ligoter. Déjà, toute petite, tu voyais l'amour de ta mère, aussi mal exprimé soit-il, comme une arme dirigée contre toi, un moyen de t'empêcher d'exister... Or ce n'est pas forcément le cas, Joey. Nos mères ne peuvent s'empêcher de nous protéger, parfois trop. On ne peut leur en tenir rigueur. L'amour, Joey, n'est pas obligatoirement une cage...

Joey serra les lèvres ; il avait raison, bien sûr. Elle reprochait à sa mère les gestes même pour lesquels elle aurait dû ressentir de la gratitude, et il en avait toujours été ainsi. Cela avait-il un rapport avec le fait qu'étant la dernière d'une nombreuse nichée, elle craignait plus ou moins consciemment qu'on ne la laisse pas prendre à son tour son envol ? Certes, dans une famille aussi large, il lui avait fallu se battre pour conquérir un minimum d'espace vital, un terrain d'action. Mais le fait était là ; tout ce que sa mère faisait pour elle, elle le ressentait comme une accusation, un blâme de ne pas se conduire en fille plus reconnaissante et plus soucieuse de ses devoirs filiaux.

Avec un petit soupir, elle se borna à remarquer :

— Les... les relations entre les gens, surtout les proches, s'avèrent souvent bien compliquées.

— Ce qui est justement, souligna-t-il, la raison pour laquelle tu as toujours préféré les éviter.

Piquée, Joey se mordit la langue pour ne pas répliquer. Elle se borna à regarder Cameron quitter la pièce et, subitement, se demanda pourquoi il ne s'était jamais marié.

Son célibat, en effet, ne cadrait pas avec le reste de son existence, ni avec l'ensemble de sa personnalité. Il avait fait d'excellentes études ; un parcours sans faute durant son adolescence, car s'il était le premier à savoir s'amuser et entraîner les autres, il avait toujours méprisé les excès divers et l'abus de boissons fortes auxquelles se livraient souvent ses camarades ; il avait fort bien réussi professionnellement, s'occupant de tous les aspects de gestion et d'administration de la petite compagnie d'aviation qu'il avait montée avec son frère... En bonne logique, il aurait dû avoir depuis longtemps une épouse ravissante, plusieurs enfants et une belle villa.

Cela surprenait d'autant plus Joey qu'il n'avait pas manqué de candidates, n'ayant aucune vocation pour l'ascétisme. Elle lui avait connu plusieurs relations successives, et la dernière avait duré presque trois ans. Joey elle-même n'était pas la première femme à emménager chez lui, et ne serait probablement pas la dernière. Un fait qui d'ailleurs, malgré elle, ne laissait pas de l'attrister un peu...

Elle ouvrit les yeux, et rougit. Elle avait dû s'endormir car Cameron était revenu dans la pièce et, penché sur elle, l'observait.

Lui-même, il devait se l'avouer, se sentait pensif. Avait-il eu raison d'inviter ainsi Joey à séjourner chez lui, pour une période indéterminée ? Certes, il attendait depuis longtemps l'occasion de lui venir en aide, de se rendre enfin utile à ce feu follet, cet oiseau migrateur qui lui échappait en permanence... Mais peut-être, après tout, courait-il seulement après un rêve. Peut-être risquait-il de souffrir à nouveau... Joey, il le savait, avait connu d'autres hommes après lui. N'avait-il été, pour elle, qu'un prétendant parmi d'autres ? Se souvenait-elle, elle aussi, de ce qui avait existé entre eux, ou bien l'avait-elle oublié, n'y attachant aucune importance ?

Lorsqu'elle battit des paupières, émergeant de sa somnolence, il lui sourit, puis lui tapota l'épaule.

— Allons, jeune dame, vous allez passer bien sagement dans le lit qui est à côté, maintenant. Nous célébrerons le retour de l'enfant prodigue après une bonne nuit de sommeil !

Joey se redressa sur les coussins en protestant :

— Mais, Cameron, je croyais que nous avions décidé...

— Rien du tout ! répliqua-t-il en resserrant autour de lui les pans de son peignoir. Tu es mon hôte, et tu es donc censée m'obéir.

Elle eut un petit rire et se leva.

— Bien ! Pour ce soir je n'insiste plus. Je suis trop lasse... Mais je pensais que les invités, au contraire, avaient seuls voix au chapitre !

— Ailleurs, peut-être, mais pas ici !

Il se pencha pour déplier le sofa. Elle s'approcha pour l'aider ; un court instant, leurs bras se frôlèrent et elle recula, d'instinct, comme sous l'effet d'une brûlure. Puis, pour dissimuler son embarras, elle entreprit de nicher un coussin dans une taie d'oreiller. Pourquoi se sentait-elle aussi troublée ? A cause de cette prenante présence masculine, du léger parfum épicé de son after-shave ? Mais aucun autre homme n'aurait produit sur elle le même effet. C'était ridicule... La fatigue lui jouait des tours, s'amusait à débrider son imagination et ses émotions. Oui, elle avait besoin d'un long repos... Un sommeil salvateur lui remettrait les idées en place.

Elle s'apprêtait à étendre les draps quand il l'arrêta.

— Laisse-moi m'en charger, Joey. Et maintenant, file au lit, comme une bonne petite fille.

Il avait parlé d'un ton un peu sec. Ou bien, encore une fois, était-elle victime d'une illusion ? Elle ouvrit la bouche pour répliquer, mais il lui tourna le dos.

Interloquée, elle resta immobile un moment, partagée entre le désir de l'aider et celui de se glisser enfin dans un lit accueillant.

— Très bien, murmura-t-elle enfin. Bonne nuit... Je suppose que nous nous verrons demain matin.

Il gardá le dos tourné.

— Bonne nuit, Joey, lança-t-il brièvement.

Cette fois, elle n'avait pas rêvé. Sa voix avait prit un tour abrupt, presque froid. Que s'était-il passé pour qu'il change ainsi d'attitude en l'espace de quelques minutes ?

Lentement, elle entra dans la chambre et referma la porte derrière elle.

Chapitre 5

Malgré sa fatigue, Joey s'attendait — comme c'était le cas depuis huit mois — à passer une nuit agitée, coupée d'insomnies. D'ordinaire, elle retournait pendant des heures les difficultés de sa situation dans son esprit, et si le sommeil la surprenait par moments, des cauchemars épuisants venaient alors la troubler.

Cette fois, cependant, elle s'endormit sitôt la tête posée sur un moelleux oreiller discrètement parfumé de lavande ; et aucun couloir d'hôpital, aucune vision torturée du visage défait de Bobby Williams ne vinrent hanter ses rêves.

Lorsqu'elle ouvrit les yeux, le lendemain matin, un soleil radieux filtrait derrière les rideaux, et la voix de Cameron l'accueillait d'un ton allègre.

— Debout, petite marmotte ! La journée est déjà bien avancée.

Il était rasé de frais, vêtu d'un jean impeccablement repassé, un tee-shirt blanc immaculé, et il posa sur le lit devant elle un plateau chargé d'un copieux petit déjeuner et égayé d'une rose dans un minuscule vase de cristal.

— Cameron ! s'écria-t-elle. Quelle folie... Je me sens indigne d'un tel honneur !

— Mais tu es descendue dans un hôtel quatre étoiles, l'ignorais-tu ? Avec petit déjeuner compris. Servi au lit — le premier jour seulement, bien entendu...

Elle écarquilla les yeux, émerveillée, en énumérant :

— Brioches, miel, bâcon, jus d'orange, thé... Et même une rose. Où donc l'as-tu trouvée ?

— Elle est en soie. Je ne l'utilise que pour les grandes occasions...

Il s'assit au bord du lit et ajouta en plaisantant :

— La nourriture, cela dit, est bien réelle !

— Tout cela m'a l'air délicieux.

Elle souleva sa fourchette, saisie soudain d'un appétit inhabituel.

— Mais, Cameron... Il me semblait avoir vu ton réfrigérateur presque vide...

— Peut-être n'avais-tu pas ouvert le congélateur. La plupart des jeunes célibataires se nourrissent de surgelés, ma chère, c'est la dure loi du monde moderne !

Elle rit et mordit dans une brioche, tiède et savoureuse.

Cameron avait oublié combien Joey paraissait particulièrement adorable le matin au réveil. Les joues roses, les yeux brillants, ses cheveux blonds ébouriffés... Sa fine chemise de nuit était décolletée presque jusqu'à la naissance des seins, dont l'on devinait les courbes douces sous le tissu soyeux. La senteur de son parfum, préservée dans le sommeil, embaumait la pièce... C'était ainsi qu'il préférait la jeune femme, et il s'étonna d'avoir oublié à quel point ces ravissantes visions matinales éveillaient ses sens. Naturellement, il ne fallait pas y songer.

— Quels sont tes projets pour la journée ? questionna-t-il en lui dérobant une miette de brioche.

Elle avala une longue gorgée de jus d'orange.

— Aucun, répondit-elle avec satisfaction. Absolument aucun !

Il lui adressa un clin d'œil.

— Parfait... Je suis presque jaloux. Car pour ma part, le devoir m'appelle... Cela ne t'ennuie pas de rester seule jusqu'à ce soir, n'est-ce pas ?

C'était une question de pure forme, car Joey ne souffrait jamais de la solitude ; elle y trouvait même plaisir.

— Non, bien sûr ! s'écria-t-elle.

Il se leva.

— Bien. Je te laisse... je t'appellerai dans le courant de l'après-midi.

Puis, comme si c'eût été parfaitement naturel, il s'inclina pour l'embrasser sur la joue. Un court instant, elle se sentit environnée de sa chaleur, de son odeur, et se replongea brièvement dans un passé enfui... Elle faillit l'attirer à elle pour poser sa bouche sur la sienne.

Bien entendu, elle n'en fit rien, et lança en souriant :

— Entendu. A ce soir, Cameron.

Deux minutes plus tard, la porte d'entrée se refermait sur lui.

Ce fut une longue journée de farniente, comme Joey n'en avait pas connue depuis des années. Elle accrocha ses vêtements dans la penderie, lava sa tasse, puis, comme Cameron lui avait laissé un double des clefs, descendit faire un jogging et, en remontant, s'allongea pour faire tout bonnement la sieste. Dans l'après-midi, elle regarda avec plaisir une série de vieux films à la télévision.

Quand donc, dans son souvenir, s'était-elle ainsi laissée aller au luxe de perdre son temps, sans en ressentir la moindre culpabilité ? Probablement jamais. Mais, pour la première fois de sa vie, elle n'avait nulle part où aller, aucune tâche à accomplir ; elle n'avait reçu qu'un seul ordre, se seposer, et l'exécutait avec un empressement sans mélange. Elle se refusait même à penser, à réfléchir. Cela viendrait bien assez tôt ; aujourd'hui devait rester dans le cours des choses comme une plage de détente totale. Elle prit un long bain, se shampouina et se sécha les cheveux, puis revêtit une confortable robe d'intérieur. Lovée sur le canapé, elle prit le temps de se parfumer et de se vernir les ongles... Prendre soin d'elle-même faisait partie de son programme de relaxation.

Vers cinq heures trente, elle résolut de préparer le dîner avec les plats tout préparés qu'elle avait découverts dans le congélateur.

Quand le jeune homme rentra, la table était mise, et deux bougies bleues dispensaient une lumière intime. Il poussa un cri d'émerveillement, et s'enquit en plaisantant :

— As-tu réellement fait la cuisine, Joey ?

Elle rougit, car il connaissait ses piètres talents en la matière.

— Je me suis bornée à faire réchauffer les réserves de ton réfrigérateur...

Il tira sa chaise pour qu'elle prenne place à table, et elle ressentit une curieuse impression, comme celle d'une jeune femme qui reçoit pour la première fois un prétendant à dîner. La situation avait quelque chose d'irréel, d'un peu magique...

— Tu as même trouvé du vin ! s'écria Cameron.

Il emplit leurs deux verres et, fixant sur elle un regard discrètement admirateur, déclara en soulevant le sien :

— A une ravissante jeune femme... et ses talents de cordon-bleu !

— N'exagérons rien, répliqua-t-elle gaiement. Je n'ai eu qu'à ouvrir le four !

Durant tout le repas, le jeune homme narra avec esprit de distrayantes anecdotes sur les clients les plus pittoresques de son agence. L'un d'eux, un magnat du pétrole local, avait égaré les plans de ses derniers forages et obligé Burt à tourner en rond pendant des heures, avec l'hélicoptère, au-dessus de la région concernée... Joey riait de bon cœur. La lueur des bougies jouait sur la chevelure drue et brillante, d'un noir d'ébène, du jeune homme. Son regard, par instants, prenait une telle intensité qu'elle en avait le souffle coupé...

Après avoir avalé sa dernière bouchée de dessert, il s'adossa avec un soupir d'aise, le verre à la main.

— Il y a des siècles que je n'avais savouré un si bon dîner à ma propre table, Joey.

— Tu te satisfais de bien peu, taquina-t-elle.

— J'ai des goûts fort simples, je ne le cache pas ! sourit-il. Une jolie femme pour m'accueillir après une longue journée de labeur, un cigare...

Et, joignant le geste à la parole, il tira un havane de sa poche.

Joey fronça le nez.

— Oh, Cameron ! Tiens-tu vraiment à empester l'atmosphère ?

— Sans le moindre remords !

Il se pencha et alluma le cigare à l'une des bougies, d'un air théâtral. Joey se mit à rire puis débarrassa rapidement et disparut dans la cuisine. Lorsqu'elle revint, chargée du plateau à café, Cameron s'était installé sur le sofa et lui fit signe de la rejoindre.

C'était presque un moment de bonheur parfait. La lumière tamisée de la lampe, les rideaux tirés, la délicieuse odeur du café... et, surtout, la présence de Cameron, détendu, disponible. Brusquement, Joey songea à tout ce dont sa vie, durant ses longues années d'errance professionnelle, avait manqué. Jamais auparavant elle n'avait ressenti ainsi la solitaire existence qu'elle avait menée. Certes, elle avait eu de nombreux contacts, souvent enrichissants, et beaucoup apporté à ses nombreux malades. Cependant, personne ne l'attendait lorsqu'elle rentrait chez elle...

Le cigare à moitié consumé gisait dans le cendrier, éteint. Joey haussa les sourcils.

— Déjà lassé de ce délicieux havane ?

— L'odeur en est plus supportable en plein air, au milieu des avions, que dans un petit appartement, avoua-t-il.

Il avait glissé le bras autour des épaules de Joey et elle se nicha contre lui, savourant cet instant d'intimité. C'était presque comme s'ils avaient vécu ainsi toute leur vie...

— N'as-tu pas envie, parfois, de voler aussi souvent que Burt ? questionna-t-elle. Car tu es pilote toi aussi, n'est-ce pas ?

— Oui. Mais il y a tellement à faire à terre, entre la gestion et l'entretien, que mon frère se sentirait vite débordé, il l'admet lui-même. Disons qu'il a la tête dans les nuages, et moi les pieds fermement plantés sur le sol !

Un sourire pensif et attendri se dessina sur les lèvres de la jeune femme. Cameron, avec cet art de la formule dont il avait le secret, décrivait la situation avec une admirable précision. Et surtout, elle y pensait tout à coup, cela s'appliquait aussi à eux. Tandis qu'elle-même s'envolait, courait d'une mission à une autre aux quatre coins du pays, Cameron, resté à terre, veillait à tout, réglait tous les détails pour préparer son retour et son prochain départ...

En somme, dans un sens, le monde se divisait en deux ; il y avait d'un côté les contemplatifs, de l'autre les actifs. Et c'était pour permettre aux premiers de rêver, de partir à l'aventure en toute liberté, que les seconds œuvraient à maintenir l'équilibre des choses.

— Si je devais vivre au milieu de tous ces avions, sans presque jamais prendre les commandes, je ne le supporterais pas, soupira-t-elle.

— Je le sais. Je te connais, Joey, répliqua-t-il d'une voix neutre.

Discernait-elle, dans sa réponse, une imperceptible tristesse ? Elle n'en était pas sûre, mais n'osait lever la tête pour examiner son visage.

Leur humeur s'était faite plus pensive, moins allègre. Tous deux restèrent silencieux un moment, plongés dans leurs réflexions. D'un air absent, Cameron laissa courir ses doigts sur le bras nu de la jeune femme. Elle sentit un frémissement la parcourir, et s'efforça une fois encore de ne pas songer à ce qu'il y avait eu entre eux.

Une impulsion subite, cependant, la poussa à demander d'un ton qu'elle voulut malicieux :

— Y a-t-il longtemps qu'une femme ne t'avait pas préparé à dîner ?

Il cessa de caresser son bras et, glissant la main sous son menton, l'obligea à lever les yeux vers lui.

Son visage était sérieux, ses yeux verts presque graves. La gorge de Joey se serra ; le sang afflua à ses joues, et les battements de son pouls s'accélérèrent. La façon dont il la contemplait semblait promettre une sorte de révélation, d'aveu...

— Oui, laissa-t-il enfin tomber. Très longtemps.

Il regardait sa bouche, comme s'il allait l'embrasser. Elle aurait voulu parler, réagir, lui faire comprendre qu'elle aussi, aurait aimé... Et cependant, elle se retint. Peut-être parce qu'elle savait au fond d'elle-même, mieux que quiconque, que l'amour est un choix librement consenti que personne ne peut ni ne doit imposer.

Il sourit et s'écarta, reprenant contrôle de lui-même.

— Il y a peut-être un film à la télévision... lança-t-il d'un ton négligent.

Elle eut un faible sourire ; la déception l'envahissait. Elle avait presque l'impression d'avoir tendu la main vers une bouée de sauvetage, au milieu d'une mer agitée, et de l'avoir manquée de quelques centimètres. Car à présent, c'était clair : Cameron ne la désirait plus.

Et elle devinait pourquoi.

D'ailleurs, c'était probablement mieux ainsi. Son existence traversait une telle crise qu'elle ne pouvait se permettre, pour l'instant, de s'engager dans une quelconque relation, surtout avec Cameron. Ajouter une autre dimension à la situation présente, strictement amicale, n'aurait fait que compliquer et peut-être détériorer leurs rapports. Et puis, après tout, pouvait-elle faire ainsi irruption dans la vie de son compagnon, en exigeant de reprendre les choses là où ils les avaient laissées sept ans auparavant ? Qui savait si, par exemple, il n'était pas amoureux d'une autre ? Elle ne s'était même pas souciée de le lui demander, de vérifier si sa présence chez lui ne bouleversait pas ses projets. Une attitude égoïste, que désormais elle se reprochait...

Oui, elle savait pourquoi Cameron restait distant. Elle avait accepté sa généreuse invitation sans se soucier un seul instant des inconvénients qui, pour lui, pourraient en résulter. Car en somme Cameron, si droit, si intègre, accueillait sous son toit une femme que beaucoup avaient accusée d'être une criminelle... Pas étonnant s'il se tenait sur ses gardes. Déjà, il avait fait beaucoup pour elle, et son offre était tout à l'honneur de sa loyauté.

Assis côte à côte, sur le sofa, ils ne se touchaient plus. Le jeune homme, absorbé — ou feignant de l'être — par le film qui se déroulait sur l'écran, s'était peu à peu éloigné. Joey sentit un grand froid courir en elle.

— Dès demain, déclara-t-elle à voix haute, je me présenterai à l'agence pour l'emploi.

Il lui jeta un coup d'œil aigu et baissa le son du téléviseur sur son clavier de télécommande. Une fois encore, il lui accordait toute son attention lorsqu'elle en avait besoin...

— Dans quel domaine penses-tu t'inscrire ?

« Je n'en sais rien », songea-t-elle à part soi. « Je veux simplement ne plus t'imposer ma présence... »

Elle secoua la tête et répondit à voix haute :

— Je l'ignore encore. En tout cas, pas dans le secteur médical si je peux l'éviter.

Il la fixa longuement, et murmura :

— Cela doit beaucoup te peser de rester inactive toute la journée, je n'en doute pas...

— Non ! ce n'est pas cela, corrigea-t-elle avec une promptitude qui la surprit elle-même. En fait, j'ai même savouré mon oisiveté, crois-moi !

Elle eut un petit rire timide.

— Pour la première fois de ma vie, je t'assure, j'ai bel et bien aimé ne rien faire. Peut-être suis-je en train de vieillir... ou de devenir adulte. Qui sait ?

Il la contempla comme pour déceler si elle parlait sincèrement ou mentait par politesse.

— Dans ce cas, dit-il enfin, mieux vaut peut-être ne pas te précipiter. Sache-le bien, Joey : lorsque je t'ai invitée à venir ici, il était clair dans mon esprit que tu pouvais rester aussi longtemps que tu le souhaitais... et même, le cas échéant, après avoir retrouvé du travail.

Elle haussa les sourcils, troublée. Elle le croyait, bien sûr ; mais pour savoir si elle le dérangeait ou non, il faudrait qu'elle pose franchement la question. Sinon, avec la délicatesse de sentiments qui le caractérisait, il n'admettrait jamais rien.

— Cameron, parlons clair. Ma présence ici constitue obligatoirement une gêne pour toi, ne le nie pas. Tu ne peux dormir indéfiniment sur le canapé, ni me nourrir par simple bonté d'âme. Et puis il y a... ta vie sociale.

Elle avala sa salive et poursuivit d'un ton neutre :

— Que se passera-t-il, par exemple, si tu désires recevoir une femme ? Ne sera-t-elle pas surprise de me trouver ?

— Il n'existe aucune femme que je veuille avoir pour hôte, répliqua-t-il nettement. Te sens-tu plus à l'aise ainsi ?

Non. Elle n'éprouvait pas de soulagement réel. Car

elle devinait, à son expression, qu'il savait fort bien ce qui motivait réellement sa question — des raisons plus troubles qu'un simple désir de ne pas s'imposer chez un ami. Embarrassée, elle baissa les yeux.

— Pourtant... balbutia-t-elle.

— Personnellement, reprit-il, j'aimerais que tu continues à te reposer quelque temps encore. Et ne t'imagine pas que tu représentes un poids, financier ou autre : c'est faux, voilà tout.

Joey eut un rire nerveux.

— Allons, Cameron, tu ne peux « m'entretenir » ainsi à ne rien faire... Je risquerais de prendre de mauvaises habitudes !

— Eh bien, tant mieux !

Tout, avec lui, paraissait si simple ! Une lueur plus douce dans le regard, il ajouta :

— N'avons-nous pas suffisamment de choses en commun pour nous permettre cela ?

Elle croisa ses yeux et, à cet instant, comprit que lui non plus n'avait rien oublié. Elle retrouvait intactes sa tendresse, sa nostalgie, et sentit son cœur se gonfler. Elle n'aurait rien souhaité d'autre que de s'enfouir dans ses bras, de retrouver la sécurité et le bonheur enfuis... Mais leur histoire appartenait au passé. Elle n'avait aucun avenir.

— Nous verrons, conclut-elle en détournant la tête.

Gardant le silence, elle feignit de regarder elle aussi le reste du film. Cameron paraissait détendu, serein ; avec son esprit réaliste, il savait ne pas s'attarder aux problèmes qu'il ne pouvait résoudre. Mais Joey elle-même sombrait peu à peu dans une sorte de vague dépression, un pessimisme inhabituel chez elle. Il ne sortirait rien de bon de cette situation... elle le pressentait.

Ils se dirent négligemment bonsoir, et elle regagna son lit, le cœur lourd.

Cameron avait laissé la télévision allumée, dans la pièce voisine, pour écouter les dernières informations, et pendant un moment la jeune femme crut que le bruissement de voix qu'elle entendait provenait du récepteur. Puis, peu à peu, les voix changèrent, semblèrent flotter dans l'espace, et elle distingua la sienne :

— Eh bien, monsieur Williams, nous sommes heureux de vous recevoir dans notre service.

Un jeune homme répondait avec optimisme :

— Vous ne me garderez pas longtemps ! Je souffre d'un simple virus sans importance.

Le son se brouilla, et quelqu'un reprit de façon plus étouffée :

— Bobby s'en sortira, n'est-ce pas ? Nous sommes si inquiets...

Le murmure d'un couple âgé, de plus en plus distinct, renchérissait :

— Il s'en sortira, n'est-ce pas ? *Il s'en sortira ?*

La phrase devenait obsédante, se répétait à l'infini sur un rythme sourd, de plus en plus menaçant ; « s'en sortira ? *S'en sortira* ? »

A cet instant, Joey comprit qu'elle rêvait. Les murs blancs de l'hôpital, comme dans une sorte de brouillard, venaient de surgir devant ses yeux ; elle sentit se refermer sur son poignet une étreinte à la fois suppliante et glacée comme une serre. Cette main de jeune homme, autrefois ferme, solide, vigoureuse, ressemblait à présent à celle d'un squelette, et la poigne s'affaiblissait, s'évanouissait... En arrière-plan, le moniteur d'oxygène bourdonnait, et sa propre voix s'efforçait de rassurer :

— Tout ira bien, Bobby, vous verrez...

Le blanc des murs se fit aveuglant, et le vrombissement de la machine, de plus en plus assourdissant, comme les battements sourdement pulsés d'un cœur saisi de panique. L'étreinte se refermait à nouveau sur sa main, ses doigts lui faisaient mal, elle ne pouvait plus s'échapper. Les parois se rapprochèrent, ils allaient l'écraser... Le souffle court, elle murmurait : « Lâchez-moi... Lâchez-moi... »

— *Lâchez-moi* !

Le hurlement, à voix haute, lui avait échappé dans son sommeil.

Reprenant lentement conscience, elle ouvrit les yeux, cligna des paupières, sans reconnaître la pièce où elle se trouvait. Mais ce n'était plus l'hôpital. Dieu merci... Elle se redressa, tremblante, aspira une longue goulée d'air. Des gouttes de sueur perlaient à ses tempes.

Les jambes en coton, elle sortit du lit, enfila son peignoir, et gagna la salle de bains à pas de loup, pour ne pas éveiller Cameron.

L'eau fraîche, sur son visage, chassa peu à peu les derniers restes du rêve ; la vive lumière du néon, si réelle, l'apaisait.

Mais elle savait que cette nuit, du moins, elle ne retrouverait plus le sommeil.

Sans faire de bruit, elle entra dans le salon. Elle prêta l'oreille ; Cameron respirait profondément, régulièrement. Il ne s'était pas éveillé.

Un court instant, elle s'arrêta pour l'observer, rassurée par cette présence familière. Dans la lueur opalescente, bleuâtre, de la lune, il reposait avec l'insouciance d'un enfant, sur le ventre, un bras pendant hors du canapé, le visage enfoui dans l'oreiller. Les couvertures avaient glissé, révélant son torse lisse. Joey se souvint qu'il dormait toujours nu. Sur son épaule brune, un groupe de minuscules taches de rousseur, disposé en V, évoquait un vol d'oiseaux. Combien de fois les avait-elle caressées, en en riant avec lui... Ce corps allongé, abandonné dans le sommeil, représentait la chaleur, la sécurité qui seules auraient pu éloigner les ombres du cauchemar. Si seulement...

Elle se détourna ; sans faire de bruit, elle ouvrit la porte-fenêtre et sortit sur le balcon.

L'air froid de la nuit effleura ses joues brûlantes. Elle inspira doucement. Le ciel du Texas s'étendait à l'infini, piqueté d'étoiles brasillantes.

Comme il était tentant de se perdre dans sa contemplation, d'oublier le reste ! Aucun autre ciel que celui du Texas ne lui donnait une telle impression de liberté. Jamais, pourtant, elle n'aurait imaginé rentrer un jour se fixer dans son pays natal. Il avait fallu cette terrible crise dans son existence pour qu'elle se retrouve au bercail ; sa vie, par un étrange détour, avait formé une sorte de cercle, comme si le destin dans sa sagesse avait voulu la ramener à ses racines, à un moment où elle s'en détachait trop et courait le risque de les oublier.

Elle médita sur sa carrière. En l'espace de cinq ans, elle avait vécu dans vingt-sept états différents des Etats-Unis, et deux pays étrangers, sans compter les escales du yacht de croisière sur lequel elle avait travaillé. Elle préférait, en général, les missions assez courtes, et par ses nombreux contacts se voyait proposer en priorité les engagements les plus lointains et les plus intéressants. Son dernier emploi, à l'hôpital d'Austin, n'aurait dû être qu'une pause provisoire au Texas avant de repartir vers d'autres horizons... elle ne pensait y faire qu'un court séjour ; et puis, subitement, le temps s'était arrêté.

Pourquoi la catastrophe s'était-elle produite à cet instant, cet endroit précis, avec ce patient particulier ? Elle l'ignorait. Elle avait connu d'autres drames poignants, d'autres morts tragiques ; d'innombrables fois, elle avait noté sur les registres les décès de jeunes femmes, d'hommes, d'enfants, avec à chaque fois un sentiment d'injustice et de révolte. Jamais elle ne s'était accoutumée, comme souvent les médecins, à la souffrance humaine. Elle avait donné une part d'elle-même à chacun des patients qu'elle avait soignés... Pourquoi avait-il fallu qu'elle atteigne ce point de non-retour, dans cette confrontation quotidienne avec la douleur, justement avec Bobby Williams ?

Peut-être après tout y avait-il une leçon à en tirer. A force d'assister, en spectateur impuissant, à toutes ces vies qui se défont, qui sombrent dans l'inconnu, elle...

La porte-fenêtre, derrière son dos, grinça, et Cameron s'approcha. Elle lui adressa un faible sourire.

— Je suis désolée de t'avoir éveillé, Cameron. Je... je ne pouvais pas dormir.

Il ne répondit pas, mais sourit à son tour, les mains glissées dans les poches de son peignoir. Une présence sereine, réconfortante. Un instant, il contempla les buildings endormis, les routes presque désertes. La lune jouait en reflets bleutés sur ses cheveux d'ébène, à peine ébouriffés. Même tiré du sommeil, il restait calme, parfaitement relaxé.

— Quel délicieux parfum, ici, murmura-t-il en humant l'air. Ou peut-être est-ce le tien ?

Saisie d'une brusque timidité, elle se détourna en

balbutiant et se pencha sur la rambarde. Un souffle de vent à peine perceptible agitait les palmiers, alignés dans la rue comme des soldats au garde-à-vous. Cameron garda un instant le silence, puis, s'adossant au mur, il reprit :

— Joey... si jamais tu veux me parler, je suis à ta disposition, tu le sais.

La gorge de la jeune femme se serra ; les larmes lui montaient aux yeux. Oui, Cameron saurait l'écouter, la comprendre, elle en avait l'intime conviction. Mais il s'avérait si difficile de tout confier... Ses mains, sur le rebord du balcon, se crispèrent.

— Nous... nous prenions des paris sur les matches de football, tu sais ? Je veux dire... Bobby et moi, commença-t-elle d'une voix légèrement rauque. Bien entendu, il gagnait toujours. Il connaissait par cœur toutes les équipes, tous les joueurs. Mais il... possédait aussi une grande culture. La peinture chinoise le passionnait...

Elle tenta de rire, mais le son étranglé qui sortait de sa gorge se termina en sanglot, et elle sentit la main de Cameron se poser avec douceur sur son épaule.

Farouchement, elle cilla pour chasser les larmes qui lui embuaient les yeux.

— Personne... personne n'a jamais rien compris à sa maladie. Il avait un virus si anodin qu'il aurait dû... sortir de l'hôpital au bout d'une semaine. Un homme si jeune, plein de force...

Sa voix s'entrecoupait. Inspirant profondément, elle poursuivit avec une sourde colère.

— C'est trop injuste ! Il devait se marier, avoir des enfants. Sa carrière s'annonçait bien, il...

Submergée d'émotion, elle se tut. Cameron l'attira

dans ses bras. Elle s'y blottit, serrant fort les paupières pour chasser ces visions de cauchemar... Peu à peu, la calme chaleur de l'étreinte l'apaisa, l'étau qui lui serrait la poitrine se desserra. Inconsciemment, elle calquait le rythme de sa respiration sur celui de Cameron, lent et régulier. Elle se sentait abritée, protégée...

Les yeux fermés, elle questionna d'un ton rêveur :

— Te souviens-tu de l'habitude que j'avais de sauter du toit de la grange ?

— Je ne risque pas de l'oublier ! répliqua-t-il en riant. J'ai encore la cicatrice de la fois où j'ai essayé de te rattraper. Nous avions tous les deux roulé sur le sol. Tu n'avais rien eu, mais je m'étais démis l'épaule et ouvert une longue estafilade sur le bras... Ce n'est certainement pas ce que j'ai fait de plus intelligent dans ma vie !

— Moi non plus, dans un sens. Je faisais preuve d'une grande témérité.

— Cela dit, je l'avoue, tu faisais un bien joli spectacle. Cette petite fille blonde, dressée contre le ciel, comme un oiseau, prêt à prendre son vol...

— Est-ce pour cette raison, questionna-t-elle en levant les yeux vers lui que tu m'as longtemps appelée « petit oiseau » ?

— Pour cela et pour autre chose... On dit souvent, dans les légendes, qu'un oiseau ne vous appartient pas tant que, laissé en liberté, il ne revient pas à vous de son plein gré.

Il haussa les épaules et ajouta dans un demi-sourire :

— C'est peut-être un cliché un peu idiot, je l'admets.

Mue par un étrange bonheur, elle soutint son regard et lui caressa très légèrement la joue du dos de la main.

— Non, souffla-t-elle. Non... Ce n'est pas idiot du tout.

Le visage de Cameron, penché sur elle, prit une expression grave et intense. Son bras attira plus étroitement la jeune femme contre lui, et son souffle se fit plus court, plus haletant. Joey se raidit, le sang battant à ses tempes. Elle ressentait un émoi que personne d'autre que lui ne savait susciter. Lui seul faisait surgir en elle cette magie, ce frémissement. Il avait gardé intacts tous ses pouvoirs sur elle...

Lorsqu'il l'embrassa, elle ferma les yeux pour mieux se livrer à la vague extasiée qui la soulevait. Ses jambes ne la portaient plus et, si Cameron ne l'avait soutenue, elle serait tombée. Ses doigts, à présent, couraient lentement sur son dos, effleuraient sa nuque, la courbe des seins, avec une avidité fiévreuse dans laquelle elle voulait se plonger, se perdre... Un léger frémissement lui échappa tandis qu'il prolongeait son baiser, avec une fougue accrue.

Puis, insensiblement, il desserra son étreinte, laissa glisser ses mains sur elle, la lâcha et s'écarta d'un pas.

Surprise, elle se raccrocha à lui, comme par instinct. En cet instant précis, elle ne pouvait supporter qu'il s'échappe. Elle avait besoin de prolonger ce contact, de l'approfondir encore, de se fondre en lui.

— Cameron... chuchota-t-elle.

Cependant, avec une ferme douceur, il la repoussa.

— Non. Non, Joey...

Perçant l'obscurité, elle chercha son visage, croisa son regard qui s'était fait neutre, distant. Abasourdie, elle s'écarta à son tour, un tourbillon de pensées confuses à l'esprit. Que se passait-il ?

— Je pense que... tu ferais mieux de retourner te coucher, dit-il d'une voix légèrement rauque. Et de... d'essayer de dormir.

Elle resta pétrifiée, incapable de bouger, épuisée comme si elle venait de faire une longue course. Une douleur lancinante lui vrillait la poitrine ; elle vacilla et se raccrocha au rebord du balcon. A chaque instant, son cœur menaçait de s'arrêter de battre. Il ne la désirait pas...

Cameron lut dans ses yeux sa souffrance et son désarroi. Il serra les poings, résistant à la tentation de l'attirer de nouveau à lui. Elle n'imaginait pas un seul instant combien il lui en coûtait de s'arracher ainsi à elle. Jamais elle ne saurait que si elle avait besoin de lui, il avait lui aussi besoin d'elle, et bien plus encore... Mais c'était à un réconfort physique qu'elle aspirait, à un soutien momentané, de ne plus exister à ses yeux. Alors que lui-même, au contraire, voulait...

Quoi au juste ? Il ne le savait pas vraiment. Mais quoi que ce fût, elle ne pouvait le lui donner. Ou plus exactement, il ne pouvait se permettre de le lui demander.

D'une voix basse, méconnaissable, la tête tournée vers le mur, Joey souffla :

— C'est... c'est à cause de Bobby Williams, n'est-ce pas ? A cause de tout ce que les gens ont dit et...

— Non ! explosa-t-il.

Presque brutalement, il lui saisit le bras pour l'obliger à lui faire face. Son regard s'était assombri, des lignes dures marquaient son visage.

— Non, Joey, ne crois pas cela ! Rien de ce qu'on a pu colporter sur toi n'a jamais...

Il prit une profonde inspiration pour adoucir le ton de sa voix.

— Simplement, tu... tu n'es pas, pour l'instant, en position de savoir avec clarté ce que tu veux. Et je ne veux pas que… nous nous servions l'un de l'autre. Il y a trop de… d'ambiguïtés en jeu… Comprends-tu ?

Non. Elle ne comprenait pas. Elle aurait voulu le croire, mais quelque chose en elle hésitait. Comment être sûre que rien n'avait changé dans leurs rapports, qu'il ne nourrissait pas à son égard le moindre soupçon, la moindre méfiance ? Rien ne pouvait lui en donner la certitude.

Elle se força à sourire, contraignit ses membres tremblants à lui obéir de nouveau. Elle le laissait prendre les décisions. Quoi qu'il veuille, aussi incompréhensibles que fussent ses motivations, elle s'inclinait. Elle n'avait pas d'autre choix.

D'un geste saccadé, elle rassembla autour d'elle les pans de son peignoir, puis rentra à l'intérieur de l'appartement.

— Bonne nuit, Joey, murmura-t-il.

Elle se tourna à demi pour le regarder. Sa haute silhouette se découpait contre le ciel nocturne, droite et solide comme un chêne qu'aucune tempête n'abat jamais. Une profonde émotion, mêlée d'étonnement et de tristesse, étreignait la jeune femme. Subitement, elle avait l'impression de se retrouver en arrière, lorsque, sautant du toit de la grange, elle savait qu'il tendrait les bras pour l'accueillir…

— Tu as toujours su… rattraper l'oiseau au vol, balbutia-t-elle d'une voix étranglée.

Elle le vit tressaillir et, un court instant, devina une lueur fugace dans son regard, comme un pâle reflet du passé. Une fugitive tendresse, un désir refoulé sitôt qu'il surgissait…

Puis la lueur s'éteignit. Le laissant seul, debout dans l'air froid de la nuit, elle s'éloigna dans l'obscurité.

Chapitre 6

— Je vous avouerai que je ne comprends pas très bien, Miss Gable.

La jeune femme assise derrière le bureau adressa à Joey un sourire sympathique, mais perplexe. Elle redressa ses lunettes sur son nez et poursuivit :

— Vous avez une formation d'infirmière hautement qualifiée, une très large expérience. Pourquoi donc ne voulez-vous plus d'emploi dans le monde médical ?

Joey réprima la tentation instinctive de s'agiter sur son siège comme une enfant prise en faute. Elle s'était imaginée, à tort, que n'importe qui dans le monde, à l'énoncé de son nom et de sa profession, comprendrait immédiatement qu'elle était l'ancienne accusée du procès Williams. En fait, il en allait tout autrement, et les remous causés par l'affaire n'avaient guère dépassé la région d'Austin et sa propre ville natale. En dehors de cercles restreints au domaine hospitalier, personne ne savait rien ? Raison de plus, songea-t-elle, pour tenter sa chance ailleurs...

Bien entendu, il paraissait tout à fait inutile d'éclairer la charmante employée de l'agence de placement sur les détails de l'histoire. Joey haussa les épaules, sourit d'un air nonchalant et répliqua :

— Simple question de lassitude, je suppose. J'exerce un métier éprouvant, où existent peu de possibilités d'avancement... je me suis dit qu'il était temps de changer.

— Mm. Voyons voir...

Son interlocutrice, Mme Bernell, reprit le dossier pour l'examiner.

— C'est dommage. Tant pis... Avez-vous une idée de ce que vous souhaiteriez ? Un secteur particulier ?

— Pas précisément, du moment que cela correspond à mes qualifications.

Joey se mordit la lèvre. Elle n'employait pas la meilleure tactique pour conduire une interview. Personne, sur le marché de l'emploi, ne prisait beaucoup l'apathie ou l'indécision.

Seulement, voilà : elle avait perdu tout enthousiasme dès l'instant où elle avait passé le seuil de l'agence. Elle était venue par acquis de conscience, mais le cœur n'y était pas.

— Vous aimez voyager, à ce que je vois, murmura Mme Bernell en tournant une page du dossier. C'est un atout...

Elle sourit d'un air rassurant.

— Cela prendra peut-être un peu de temps, mais nous ferons de notre mieux pour vous trouver quelque chose de satisfaisant et de stimulant. Vous êtes bien trop qualifiée pour les simples travaux de secrétariat, et avez peu d'expérience de la gestion, mais que cela ne vous décourage pas. Notre agence s'est fait une spécialité des cas un peu inhabituels, et nous avons toujours obtenu, je dois le dire, d'excellents résultats.

« Surtout, ne vous hâtez pas ! » avait envie de lancer

Joey. Au lieu de cela, elle se leva et répondit avec courtoisie en tendant la main :

— Je vous remercie infiniment... et j'attendrai avec impatience de vos nouvelles.

Elle sortit rapidement du bâtiment, aspira l'air frais du matin avec volupté et pausa un instant sur le trottoir.

Qu'allait-elle faire ? Elle n'en avait pas la moindre idée. Si le simple fait de passer une demi-heure dans un bureau l'oppressait autant, comme supporterait-elle d'y rester quotidiennement de neuf heures du matin à cinq heures du soir ? Elle se souvenait avec horreur de son bref passage dans la sinistre petite pièce d'une entreprise de Lubbock. Pourtant, elle n'y avait travaillé qu'à mi-temps. Mais, déjà, elle s'y sentait devenir à moitié folle... Cependant, que pouvait-elle espérer d'autre ? Et en fait, que voulait-elle réellement ?

« Si je le savais », murmura-t-elle pour elle-même, « je ne serais pas ici... »

D'un pas lent, elle reprit la direction de sa voiture. Elle n'avait pour l'instant qu'une envie ; rentrer chez elle. C'est-à-dire, chez Cameron.

Elle s'immobilisa brusquement, surprise de ce désir. Que lui arrivait-il ? C'était un beau matin d'octobre, ensoleillé, encore chaud. Elle aurait pu conduire à l'aventure dans la campagne, ou passer la matinée à faire du lèche-vitrine... Au lieu de cela, spontanément, sans réfléchir, elle reprenait le chemin du seul endroit où elle se sentait à l'abri, où elle était la bienvenue.

La bienvenue : un mot-clé, en fait. Elle repassa en esprit les événements de la nuit passée. Avec patience, Cameron lui avait fait comprendre qu'il l'accueillait, sans arrière-pensées, qu'il lui offrait une compagnie amicale, un hâvre où se poser en attendant d'avoir repris suffisamment de forces pour reprendre son vol. C'était énorme, et elle n'avait pas le droit de demander plus.

Durant les quelques instants où il l'avait serrée dans ses bras, cependant, elle avait brièvement entrevu la possibilité d'autre chose. Malheureusement, cette porte à peine entrebâillée risquait de s'ouvrir sur toute une série de complications que ni l'un ni l'autre ne pouvaient prendre en charge. Il lui fallait s'en souvenir, avec une courageuse lucidité.

Non que ce pressentiment fût récent, d'ailleurs. En fait, il avait toujours existé en elle, sous-jacent, comme les braises d'un feu mal éteint que la moindre flamme suffit à faire rejaillir.

Or, la veille, ce foyer avait failli renaître de ses cendres. Qui donc avait déclenché cela ? Qui avait fait le premier pas pour ressusciter une passion dont la raison exigeait, au contraire, qu'on la laisse enfin s'estomper et mourir d'elle-même ?

Sans doute était-ce elle, Joey. Elle n'avait pas su laisser le temps suivre son cours. Toujours, il lui fallait intervenir sur les événements, les contrarier...

Elle avait commis une erreur, bien sûr. Car Cameron ne la désirait plus, cela ne faisait pas le moindre doute. Il ne souhaitait pas retomber dans une situation complexe, et elle ne pouvait l'en blâmer.

En somme, il lui fallait trouver le moyen de ne pas s'imposer, de ne pas envahir son espace et sa vie.

Mais lequel ?

Elle ouvrit la portière de sa voiture, s'installa et démarra en poussant un soupir. Pour aujourd'hui du moins, il lui fallait se comporter comme si de rien n'était. Faire bon visage, ne surtout rien exiger d'excessif, et manifester sans fausse honte à Cameron toute la gratitude qu'elle ressentait pour sa généreuse hospitalité... Ensuite, elle aviserait. Mais pour l'instant, elle chasserait résolument la passion qui avait jailli entre eux la nuit précédente ; elle s'interdirait par-dessus tout de songer au passé. Ensuite, elle aviserait.

Lorsqu'elle pénétra dans l'appartement, un peu avant midi, elle se sentait nerveuse, agitée. Sans la présence de Cameron, les lieux semblaient vides. Comme chaque jour, elle descendit faire son jogging, mais cela ne suffit pas à épuiser son énergie. Il lui fallait trouver une occupation. Ainsi, du moins, elle ne penserait pas...

Il avait paru si heureux de trouver le dîner prêt, la veille, qu'elle décida d'en represparer un autre. Certes, elle ne se faisait aucune illusion sur ses talents de cuisinière, passablement médiocres malgré tous les efforts de Lilly Gable pour lui inculquer les rudiments de l'art culinaire. En général, elle trouvait immédiatement quelque chose de beaucoup plus palpitant à faire dès l'instant où elle mettait le pied près d'un fourneau, et n'avait guère dépassé le stade de l'œuf sur le plat. A vrai dire, elle n'avait jamais beaucoup souffert de son handicap. Aussi bien que quiconque, elle savait lire les instructions sur les boîtes de plats préparés et allumer le gaz sous une casserole. Que voulait-on d'autre, dans le monde moderne ? Plus vite on échappait à l'univers confiné de la cuisine, à ses yeux, mieux cela valait.

Cette fois, cependant, il fallait mettre les petits plats dans les grands, et elle disposait à présent de tout le temps nécessaire pour parfaire son éducation.

Confortablement installée sur le canapé, elle composa le numéro de la mère de Cameron.

— Bonjour, Joey. Quelle bonne surprise ! s'écria gaiement Avis Scott dès qu'elle fut au bout du fil. Comment allez-vous ?

— Très bien, madame Scott, je vous remercie. Et vous ?

Tout en parlant, Joey posa sur ses genoux un bloc-notes et un stylo pour noter la recette favorite de Cameron, sur laquelle elle comptait s'informer.

— Bien, répondit Avis, mais je suis un peu inquiète au sujet de Janice et Matthews.

Joey haussa les sourcils. Les noms ne lui disaient rien... Probablement s'agissait-il de voisins.

— On a offert à Matthews une situation très intéressante à Chicago, poursuivait son interlocutrice. Il peut difficilement refuser...

— Je vois, fit Joey avec politesse. Il aurait tort, à mon avis. Etant donné la crise actuelle, il faut parfois accepter de se transplanter.

— Bien sûr, mais je me méfie terriblement de ce Bartlett...

Joey fronça les sourcils.

— Bartlett ? Qui est-ce ?

— Son futur employeur. Je lui trouve le regard fuyant. Par ailleurs, si Janice retourne à Chicago, ce sera une catastrophe, croyez-moi !

C'était typique de la part d'Avis que de bavarder ainsi sur les affaires de son entourage. Joey n'éprouvait aucun penchant particulier pour les commérages, mais s'efforça par courtoisie de s'intéresser à ces gens totalement inconnus pour elle.

— Une catastrophe ? Pourquoi cela ?

Avis prit un air confidentiel.

— Souvenez-vous, Janice a été amoureuse du fils de

Hilda et Richard... Comment s'appelait-il, déjà? Adam, c'est cela. Bien longtemps avant qu'elle n'épouse Matthews, naturellement. Je ne voudrais pas qu'en le revoyant elle fasse un coup de folie. Son couple marche si bien...

Joey crut comprendre que le soi-disant Adam habitait à Chicago.

— Dans une grande ville, ils ont fort peu de chance de se rencontrer, fit-elle. Si je vous appelais, madame Scott, c'est parce que...

— Je souhaite que vous ayez raison, coupa Avis? Mais je ne suis pas rassurée.

— Tout finira par s'arranger, j'en suis certaine, répliqua la jeune femme, s'exhortant à la patience. Dites-moi, je vous en prie, quel est le plat favori de Cameron? J'aimerais lui faire une surprise, et je n'ai pas la moindre idée...

— Vous allez lui faire la cuisine? J'en suis ravie. Ces grands garçons se nourrissent si mal! Mais maintenant que vous êtes là, cela va changer, bien sûr.

Joey eut un sourire contraint. Pourvu qu'Avis ne se méprenne pas sur la situation...

— Cameron, ajouta la vieille dame, adore le poulet frit. Rien de plus simple!

Son interlocutrice s'immobilisa, le crayon en l'air.

— Le... poulet frit? Et... comment dois-je m'y prendre?

Avis Scott hésita un instant, puis indiqua d'un ton légèrement étonné :

— Eh bien, mais... on le fait frire, voilà tout!

Joey soupira. L'opération risquait de s'avérer plus complexe que prévu.

— A mon avis, tu as perdu la tête, lança Burt en avalant une gorgée de café. Tu ne risques de t'attirer que des ennuis.

— Pardon ? répliqua Cameron d'un ton absent. Pardonne-moi, je n'ai pas suivi...

Burt le contempla un instant. Son frère, depuis le début de la matinée, avait paru totalement dans les nuages. Il fallait lui répéter la moindre phrase au moins deux fois, et il avait mis plusieurs heures à terminer la révision d'un moteur, opération qui lui prenait d'ordinaire une heure à peine.

Ils étaient en train de déjeuner dans le petit bureau où ils avaient lancé leur agence. Le succès aidant, ils avaient fait construire de superbes hangars et de luxueuses salles d'accueil pour les clients, mais ils continuaient néanmoins à tout diriger depuis cette pièce minuscule qui avait gardé le décor sympathique et bohème de leurs difficiles débuts.

Cameron, installé dans le large fauteuil tournant au cuir déchiré, avait posé les pieds sur l'immense bureau de bois noir, écorné et griffé, qu'ils avaient déniché dans une brocante plusieurs années auparavant. Les dossiers débordaient des étagères branlantes, s'accumulaient jusque sur le sol, et des calendriers poussiéreux et dépassés restaient accrochés au mur.

Cameron aimait cette pièce. Dans un sens, elle leur servait de mémoire, comme le grenier d'une vieille demeure où s'entassent les souvenirs. Pour le jeune homme, elle symbolisait la sécurité, la continuité.

Lui et son frère y déjeunaient ensemble de temps à autre, lorsqu'il n'y avait pas de vol prévu dans l'immédiat. Mary leur avait préparé de délicieux sandwiches et Cameron lui-même, malgré ses préoccupations, n'avait pu résister à la tentation d'y mordre à belles dents.

— Flûte ! s'écria Burt en soulevant l'une des tranches de pain. Mary est impardonnable… Elle a encore oublié la moutarde !

Cameron ouvrit un tiroir et lui jeta un sachet qu'il avait glâné dans un restaurant.

— Elle n'a certainement pas oublié, répliqua-t-il avec patience. Au contraire, elle se sera souvenue que je ne l'aimais pas.

Burt lui adressa un coup d'œil soupçonneux.

— Je la trouve bien attentionnée à ton égard…

Son frère haussa les épaules.

— Il est plus facile de rajouter un condiment que de l'ôter, voilà tout. En outre…

Il avala une seconde bouchée, puis poursuivit avec un sourire malicieux :

— … Les femmes sont toujours plus aux petits soins avec les célibataires qu'avec les hommes mariés. Nous suscitons leur pitié !

Burt entreprit d'étaler sa moutarde en émettant un grognement.

— Dans ce cas, il lui faudra trouver quelqu'un d'autre à dorloter… Car tu n'es plus exactement un célibataire !

Cameron haussa les épaules.

— Mary est une perle. Tu as de la chance de l'avoir épousée.

— Ne m'envie pas trop ma vie de famille ! Les factures, le vacarme, les enfants qui hurlent lorsque j'essaie de me détendre devant la télévision… soupira Burt.

Puis il se détendit et ajouta :

— Mais leur mère est un excellent cordon-bleu, je l'avoue.

Cameron sourit et se versa une tasse de café. Ils restèrent silencieux un moment, puis Burt déballa un second sandwich et s'accouda sur le bureau, fixant sur son frère un regard perçant.

— Tu sais, Cameron... Tu n'abuses personne, et surtout pas moi. Elle te met déjà dans tous tes états.. Alors qu'elle séjourne chez toi depuis deux jours, à peine !

Sans se faire préciser à qui ce « elle », de façon trop évidente, se référait, Cameron ramassa avec soin les miettes pour les jeter à la corbeille et riposta d'un ton neutre :

— Ecoute, sois gentil... ne te mêle pas de cela, veux-tu ?

— A ton aise, répliqua Burt. Mais si je comprends bien, tu voudrais que je t'observe perdre à nouveau la tête pour Joey sans intervenir...

— Absolument, conclut Cameron d'une voix plus sèche qu'il ne l'aurait souhaité.

Burt reposa brutalement son sandwich entamé.

— Eh bien, je ne suis pas d'accord. Tu es mon frère, et je me fais du souci pour toi. Enfin, Cameron, souviens-toi de la difficulté que tu as eue à te sortir de cette histoire la dernière fois ! Après son départ, pendant au moins trois mois, tu...

Cameron finit par s'irriter.

— Une fois pour toutes, je te demande de rester en dehors de cela, Burt !

Il se tut. Une longue pratique de son frère aîné lui avait appris à faire machine arrière lorsque cela devenait nécessaire.

Cameron soupira et reprit la parole.

— Ce qui se passe actuellement n'a rien à voir avec le

passé, expliqua-t-il en guise d'excuse. A l'époque, nous n'étions que des enfants.

Sans répondre, Burt lui jeta un coup d'œil. L'épisode dont ils parlaient ne datait que de sept ans auparavant, et tous deux savaient qu'il n'y avait rien eu « d'enfantin ». Il s'était bel et bien agi d'une relation entre deux adultes.

Cameron prit l'air sombre. Il risquait très probablement de souffrir à nouveau, il en avait parfaitement conscience.

Au début, bien entendu, il avait tenté de se convaincre qu'il réussirait à maîtriser la situation avec aisance, et n'avait pas voulu affronter la vérité. Seulement, il n'était pas resté bien longtemps dupe de lui-même ; très vite, le problème avait pris un tour infiniment plus délicat qu'il ne l'aurait cru.

Il fallait voir les choses en face ; jamais, de son propre chef, Joey ne faisait appel à lui. C'était lui qui, la veille au soir, avait fait les premiers pas pour la prendre dans ses bras. Lui qui, la sachant à Dallas, avait téléphoné pour lui proposer son aide...

Il ne lui avait pas fallu plus d'une journée pour comprendre à quel point il s'était leurré. Joey, contrairement à ce qu'il avait espéré, exerçait toujours sur lui la même fascination, le même magnétisme dévastateur. Lorsqu'il l'avait à ses côtés, plus rien n'avait d'importance, ni la façon dont elle perturbait sa vie, ni l'immense désarroi qui s'emparerait de lui au moment où elle partirait. Elle agissait sur lui un peu à la façon d'une drogue. Il s'imaginait pouvoir se passer d'elle, et s'en savait en fait, au fond de lui-même, totalement incapable.

Mais il ne voulait pas y penser.

Soudain, la voix de Burt — et surtout les paroles qu'il prononça — le firent sursauter.

— Est-ce que, questionnait ce dernier, vous dormez... dans la même chambre ?

Cameron se contint pour maîtriser sa colère.

— Non ! riposta-t-il. Certainement pas !

— Eh bien ! Tu es déjà énamouré comme un débutant à son premier rendez-vous, alors qu'il ne s'est encore rien produit... D'ici quelque temps, Dieu sait dans quel état je te retrouverai !

Cameron ne put s'empêcher de sourire avec mélancolie, puis il se replongea dans ses pensées. Sa cigarette, entre ses doigts, se consumait sans qu'il songeât à tirer une bouffée.

Burt se laissa aller contre le dossier de sa chaise.

— En somme, que s'est-il passé au juste entre vous, il y a sept ans ? Je n'ai jamais vraiment compris. Un jour vous aviez l'air inséparables, et le lendemain...

Il n'acheva pas sa phrase mais claqua dans ses doigts, d'un geste expressif qui signifiait sans doute possible : « Tout d'un coup, plus rien... »

Cameron poussa un soupir.

— Un beau matin, Joey a dû partir travailler ailleurs, laissa-t-il tomber. Voilà toute l'histoire.

Burt, qui souhaitait sincèrement venir en aide à son frère, s'efforça de ne pas laisser paraître son scepticisme. Il ne fallait surtout pas heurter Cameron de front.

— Comme cela ? s'enquit-il. Sans prévenir ?

— On lui avait fait une proposition plus intéressante. Tu n'ignores pas, de toute façon, qu'elle ne demeure jamais longtemps au même endroit...

Burt aurait pu formuler au moins une douzaine de

remarques, qu'il jugea plus sages de garder pour lui. Il se borna à souligner :

— Et... tu n'as pas réagi ? Tu n'as pas un seul instant tenté de... la retenir ?

Surpris, Cameron haussa les sourcils.

— La retenir ? On n'arrête pas Joey, voyons ! Elle suit sa route, sans jamais regarder en arrière... Autant essayer d'empêcher le vent de souffler, Burt !

Oui, songea-t-il pour lui-même. La jeune femme, comme un frêle esquif, se laissait porter par les imprévisibles et mystérieux courants qui gouvernaient sa vie. Il n'y avait rien, absolument rien qu'il pût faire ; il aurait dû s'en convaincre depuis longtemps...

Son frère se permit une légère grimace désapprobatrice et secoua la tête.

— Pour être franc, j'ai du mal à me mettre à ta place. Si moi-même j'étais déchiré à ce point par une femme, je... je ferais quelque chose, n'importe quoi. J'agirais...

Cameron sourit à nouveau. Toute la différence qui existait entre son frère et lui éclatait dans ce dialogue. Burt n'hésitait pas à contrecarrer les projets des autres, fût-ce contre leur avis ; lui-même respectait bien trop la liberté, à commencer par la sienne propre, pour entraver celle d'autrui...

— A chacun ses méthodes, murmura-t-il.

Burt fouilla dans le sac des sandwiches et en extirpa une pomme.

— Par moments, déclara-t-il d'un ton rêveur, je me dis que nous avons commis un malencontreux chassé-croisé dans le choix de nos compagnes. Mary adore jouer les femmes au foyer. Elle serait parfaite pour toi... Tandis que moi-même, j'aurais trouvé avec Joey un peu d'aventure...

Il s'interrompit pour attaquer sa pomme et poursuivit :

— Sais-tu que... j'ai eu un « faible » pour elle, à un moment donné ?

— Pour Joey ? s'exclama Cameron, éberlué.

— Oui. Oh, il y a longtemps ! Au collège. La dernière année, juste avant que je ne parte au service militaire... T'en souviens-tu ?

Son aîné, la gorge serrée, acquiesça, sans rien laisser paraître de son émotion.

— A-t-elle... commença-t-il.

Les mots moururent sur ses lèvres. Il toussa et reprit :

— A-t-elle répondu à... tes sentiments ?

Burt se redressa, blessé.

— Tu plaisantes, j'espère. Jamais je n'aurais rien avoué à la femme dont rêvait mon propre frère. Je... je n'ai pas passé un été très agréable, tu peux me croire. Et puis l'espèce de passion que je ressentais s'est éteinte. Joey fascine comme une flamme, mais, si l'on s'approche trop près...

Il contempla les restes de sa pomme et conclut :

— Je ne voudrais pas que cela t'arrive, Cameron. Cela dit, rassure-toi... Joey n'a rien su. A l'époque, de toutes manières, elle songeait surtout à ses études et n'avait pas le temps de tomber amoureuse. Peut-être n'a-t-elle d'ailleurs pas beaucoup changé... Quoi qu'il en soit, ensuite j'ai rencontré Mary. Et l'un dans l'autre, nous ne sommes sans doute pas trop mal assortis...

Cameron consulta sa montre. Il se leva et ouvrit la bouche pour annoncer qu'il retournait travailler, mais au même instant Burt ajouta :

— Ecoute, ne laisse pas Joey mettre ton existence sens-dessus-dessous au moment même où notre affaire prend de l'expansion, où tu as un but... C'est une instable chronique, elle ne t'apporterait rien de bon. A ce propos, lui as-tu parlé de... de la ferme ?

— Non. J'ai jugé que cela ne la concernait pas.

— A mon avis, tu as raison. Penses-tu finir la révision du Cessna dans la soirée ? Car demain, je...

— Non, coupa Cameron en gagnant la porte. Aujourd'hui, je dois rentrer tôt.

Burt sentit toute son inquiétude le reprendre. Jamais, d'ordinaire, son frère ne lésinait sur les heures supplémentaires.

— Joey m'attend, expliqua-t-il.

Et il referma le battant derrière lui.

Vers cinq heures, Joey se résigna enfin à accepter la défaite. Le poulet, carbonisé à l'extérieur, présentait à l'intérieur un aspect roseâtre peu engageant ; les pommes de terre dégorgeaient d'eau, et les biscuits, durs comme de la pierre, résistaient à la plus forte pression. Des nuages de farine s'étaient répandus dans toute la cuisine, la sauce noyait le fourneau, l'évier débordait de vaisselle...

Elle ouvrit grand la fenêtre, pour chasser l'odeur de brûlé, puis croisa les bras et, appuyée à la table, contempla l'ampleur du désastre. Visiblement, il n'y avait plus rien à sauver. Elle ne souffrait pas trop de voir confirmée son absence de talents domestiques ; en revanche, le fait de ne pas avoir réussi à venir à bout d'un misérable volatile et de quelques légumes la mettait en rage.

Mais elle avait résolu de préparer le dîner, et ne s'avouerait pas vaincue ! D'abord, tout nettoyer...

A sept heures moins dix, elle mettait la dernière main

au bouquet de fleurs qui ornait la table. Entendant tourner la clef dans la serrure, elle jeta précipitamment les emballages du traiteur auquel elle avait finalement eu recours et s'assit en hâte sur le canapé.

— Ce soir aussi ! s'écria Cameron, émerveillé. Joey, tu n'aurais pas dû…

— J'en avais envie, coupa-t-elle en hâte.

Elle ne souhaitait pas l'entendre s'extasier trop longuement sur ses mérites imaginaires…

— Viens, ajouta-t-elle, passons à table ! Je meurs de faim.

Le plaisir qu'elle éprouvait, à se retrouver assise en face de lui dans la pièce douce et chaleureuse dépassait encore celui de la veille ; la saveur de la nouveauté faisait place à celle, plus profonde, d'une amorce d'habitude. Comme elle aimait à le contempler, à s'imprégner de l'aisance de ses gestes, de son regard lumineux, de son sourire…

Pourquoi n'avait-elle jamais, avant, attaché d'importance à tout cela ? Pourquoi n'avait-elle pas soupçonné l'existence de ces plaisirs quotidiens dont sa vie passée, à présent, lui paraissait terriblement dépourvue ?

Cameron, qui partageait sans l'avouer cette vague d'émotion, la jugeait dangereuse. A la voir rire avec insouciance, se réjouir d'avoir accompli de menues taches domestiques dans le but de lui faire plaisir, il commençait à songer qu'il y avait là, peut-être, un espoir de durée…

Or il avait tort. De telles pensées n'auraient pas dû lui occuper l'esprit. Il connaissait Joey mieux que n'importe qui ; il savait qu'il ne pouvait pas tirer la moindre conclusion d'un apaisement momentané. D'ici quelque temps, une fois bien reposée, elle commencerait à souffrir de son oisiveté, et chercherait à nouveau le moyen de partir. Et, à ce moment-là, il n'aurait ni la cruauté ni l'égoïsme de la retenir.

Peu à peu, le jeune homme était devenu silencieux. Au bout d'un instant, Joey s'en rendit compte et fronça les sourcils. Sur quoi pouvait-il bien méditer ? Sans doute, se dit-elle, sur les événements de la nuit passée... Encore une fois, elle regretta qu'il se fût écarté ainsi, la poussant à retourner dormir alors qu'elle désirait tellement retrouver leur intimité perdue. Mais elle ne pouvait exiger plus que ce qu'il lui donnait déjà...

Il l'aida à débarrasser puis à disposer les assiettes dans le lave-vaisselle. De temps à autre, elle lui adressait un bref sourire, attendrie de le voir concentré sur des gestes simples, chemise ouverte, les manches roulées sur les coudes, tandis qu'une mèche brune retombait sur son front...

— Merci à nouveau, Joey, déclara-t-il en refermant la machine. C'était exquis.

Elle rougit et haussa les épaules.

— Oh, ce... ce n'est rien. Je voulais me... me faire pardonner pour hier soir.

Aussitôt, elle regretta ses paroles. Pourquoi donc avait-elle abordé le sujet ? Quel démon l'avait poussée ?

Il s'appuya contre la table, effleurant son épaule au passage, et la dévisagea d'un air impénétrable.

— Hier soir ? répéta-t-il d'une voix inexpressive. Que s'est-il donc passé ?

Elle baissa les yeux sur ses mains, qu'elle avait croisées avec nervosité. Cameron était si proche d'elle qu'elle distinguait son odeur. Un parfum frais, mêlé d'herbe coupée, de grand air... un parfum qui la troublait toujours avec la même intensité.

Puis, lentement, elle releva la tête. Il n'avait pas bougé, ni prononcé le moindre mot, et pourtant elle sentait les battements de son cœur se précipiter. De toutes ses forces, elle résista à la tentation de poser la main sur son bras nu.

— Eh bien, cette nuit, murmura-t-elle, je n'aurais pas dû te... te déranger ainsi, solliciter de toi...

Elle s'interrompit, la gorge nouée. Cameron, légèrement surpris, avait haussé les sourcils. Il tressaillit, eut pour la toucher un geste involontaire qu'il n'acheva pas. Il fixait à présent le visage de la jeune femme et son expression s'adoucit, se détendit.

Puis il lui effleura les cheveux.

— Ne t'excuse pas, Joey, souffla-t-il. C'est moi qui, sur le balcon, me suis mal conduit, et aurais dû m'excuser. La dernière chose que je souhaitais était de te blesser.

Les yeux agrandis, la jeune femme semblait tout à coup étrangement vulnérable. La douceur de Cameron, la tendresse qu'elle lisait dans ses yeux, lui rappelaient les jours enfuis, et elle trouvait difficile de reprendre pied dans la réalité.

— Autrefois... nous avons été heureux, n'est-ce pas ? chuchota-t-elle.

Elle devina qu'il se raidissait, que sa respiration s'accélérait. Suivant du regard sa main qu'il faisait à présent glisser sur la joue, puis l'épaule de Joey, il répondit dans un souffle :

— Oui, je sais...

D'un doigt, il fit remonter sa caresse jusqu'aux lèvres de la jeune femme. Elle les entrouvrit et, les yeux mi-clos, haleta tandis qu'une onde électrique la parcourait. Cameron répéta son geste, avec insistance, puis posa son autre main sur sa taille, effleurant la courbure souple des reins... Joey sentit tous ses muscles, jusque-là tendus à l'extrême, céder brusquement, et ses jambes se dérober sous elle. Elle fit un pas en avant, tendit les mains vers Cameron, devina, avant de le toucher, sa chaleur contre ses paumes...

Leurs mouvements, ralentis comme dans un rêve, prirent soudain une intensité presque irréelle. Chaque seconde semblait durer des heures ; la lente, minutieuse exploration de leurs corps faisait naître une étrange chaleur, que l'on aurait crue tangible.

Les doigts de Cameron, avec douceur, se refermèrent sur un sein, puis descendirent, frôlèrent d'une caresse brûlante la ligne de la hanche et s'arrêtèrent.

A cet instant, leurs regards se croisèrent.

Dans celui de Cameron, assombri, elle lut une sorte de fièvre, avide, mal maîtrisée. Elle le sentit trembler légèrement, ferma les yeux lorsque leurs bouches frémirent l'une contre l'autre, puis se joignirent.

Une seule pensée surnageait dans le tourbillon qui occupait l'esprit de Joey ; elle le désirait... Que ce soit pour un instant ou pour l'éternité, cela n'avait pas d'importance. Elle voulait se lover au creux de ses bras, s'offrir à ce vertige irrésistible...

Mais subitement, comme la veille, il s'immobilisa et, sans rudesse mais avec fermeté, la repoussa. Hebétée, elle laissa glisser ses bras qu'elle avait noués autour de son cou et les serra contre sa poitrine, comme pour se protéger.

Cameron détourna la tête.

C'était étrange. L'émotion, le feu que la présence de chacun attisait en l'autre n'avaient pas changés ; ils reprenaient à chaque flambée avec la même exigence, et pourtant tout était différent. Ils avaient acquis une certaine maturité, peut-être une autre sagesse. Sept ans auparavant, leur histoire avait tenu du conte de fée, avec la magie fascinante mais fragile qui est l'apanage de la jeunesse. Or cette magie, sans doute embellie encore par le souvenir, ils ne pouvaient plus la capturer. Les enjeux, à présent, étaient devenus beaucoup trop importants...

Joey se rappelait cette lointaine matinée où elle était venue annoncer à Cameron, dans son bureau, qu'elle repartait en mission. Avait-il tenté de la retenir, élevé la moindre objection ? Non. Mais elle était alors tellement ravie à l'idée de travailler sur un bateau, et débordante de projets, qu'elle n'avait pas songé un seul instant à ce que son départ signifiait pour leur relation.

Lorsqu'elle s'était rendu compte, avec un choc, qu'ils ne se verraient plus pendant de longs mois, elle avait pâli, mais Cameron était aussitôt intervenu. Il avait approuvé son voyage avec enthousiasme, l'avait félicitée, sans la moindre trace d'égoïsme. Et sans jamais suggérer qu'elle y renonce...

Elle se demandait, à présent, ce qu'elle aurait fait s'il l'avait exigé. Il lui fallait s'avouer qu'elle l'ignorait encore.

— Oh, Cameron, souffla-t-elle d'une voix lasse, sans pouvoir lever les yeux, que nous est-il arrivé ? Quelle erreur avons-nous commise ?

Il garda le silence un long moment. Quand il répondit, sa voix trahissait la même tristesse, le même découragement que celui qui venait de s'emparer de Joey.

— Je... je ne sais pas. Peut-être n'avons-nous pas... essayé avec assez de constance. Ou au contraire...

Il se passa une main sur le front et conclut :

— ... peut-être nous montrons-nous trop obstinés...

Il serra les poings et les glissa dans ses poches, le visage sombre.

Joey ne leva les yeux qu'à l'instant où il quitta la pièce, et elle le regretta aussitôt.

Car le désarroi qu'elle avait lu sur ses traits lui brisait le cœur.

Chapitre 7

— Je ne sais pas où vous trouvez l'énergie de tout faire, s'écria Joey lorsque Mary, pour la troisième fois au moins en un quart d'heure, rattacha avec patience les lacets de son dernier-né, âgé de trois ans.

Toutes deux se trouvaient sur la véranda de la villa de Burt et Mary. Joey, en effet, avait fini par accepter l'invitation de cette dernière. Elle lui avait bien proposé de l'emmener au restaurant, mais la jeune femme, fatiguée par sa grossesse, avait préféré ne pas se déplacer, en assurant qu'elle adorait faire la cuisine.

Elles avaient donc dégusté un succulent repas et se détendaient à présent en prenant le café. Par bonheur, les deux bambins qui n'allaient pas encore à l'école avaient dormi sans les déranger, ce qui — à en juger par l'oreille inquiète que Mary tendait de temps à autre vers leur chambre — n'arrivait pas très souvent. Ils s'étaient éveillés quelques minutes auparavant, lorsque l'aîné était rentré de classe, et le tumulte n'avait pas tardé à recommencer.

Mary se redressa péniblement, chassa le gamin d'une tape sur le derrière et avoua d'une voix lasse :

— Franchement, par moments, je ne sais pas non plus, Joey.

Elle tourna avec lenteur sa cuiller dans sa tasse, les yeux fixés sur le jardin. Il régnait encore un temps très doux pour la saison, et sans les cris et les chamailleries des enfants, elles auraient pleinement savouré l'après-midi.

La villa se situait dans un agréable quartier résidentiel de Dallas. Joey la trouvait encore un peu trop proche des autres demeures pour son goût, mais avait admiré avec un étonnement non feint l'intérieur, décoré par Mary avec un talent très sûr. Les objets et les tapis s'harmornisaient à la perfection avec les murs, aux rafraîchissantes teintes pastel. Tout était d'une netteté sans faille : les meubles luisaient de cire, les miroirs étincelaient, les larges fenêtres laissaient pénétrer à flot la lumière. Mary, qui plus est, avait révélé à Joey qu'elle tenait sa maison sans aucune aide.

Dans un joli cabinet vitré, en acajou, elle avait disposé de jolies pièces de porcelaine, d'argenterie, de cristal, que la visiteuse admira longuement. Pour la première fois de sa vie, se rendit-t-elle compte avec surprise, elle ressentait le désir d'avoir elle aussi une maison agréable, emplie de beaux objets qu'elle aurait choisis avec soin. Un lieu à elle, un refuge harmonieux, reflétant sa personnalité et celle de sa famille… D'une certaine manière, elle enviait Mary, qui avait su se créer des racines. La joie de vivre de quatre personnes — bientôt cinq ! — reposait sur les épaules de la brune jeune femme, et tout, ici, respirait la sérénité.

Il y avait deux semaines, à présent, que Joey logeait chez Cameron. Ils réussissaient à ménager chacun leur espace et à entretenir des rapports amicaux. Tous les soirs, Cameron trouvait table mise, un appartement rangé avec soin, et le repas se déroulait dans une atmosphère détendue, où ils évitaient avec soin d'aborder certains sujets. Le passé en particulier... Le reste du temps, Joey courait d'un entretien à un autre pour trouver du travail — sans succès —, marchait beaucoup et passait de longues heures au téléphone à écouter avec patience Avis Scott, qui la tenait au courant des moindres péripéties de la vie de ses voisins.

Ce programme n'avait rien de bien palpitant, et Joey, désespérée par ce désœuvrement prolongé, se félicitait d'avoir accepté l'invitation de Mary.

Tout en bavardant avec elle, fraîche dans sa robe blanche aux épaules découvertes, qui soulignait sa mince silhouette, elle médita mélancoliquement sur la vie qu'elle menait. Elle ne pourrait pas continuer longtemps ainsi, c'était évident. Cameron semblait apprécier sa compagnie, mais, sous son apparence détendue, elle le devinait mal à l'aise, distant. Jamais il ne se confiait ; de temps à autre, il fixait sur elle un regard sombre, inquiet, trop vite remplacé par un sourire artificiel lorsqu'il se sentait découvert.

Elle aurait voulu rendre Cameron heureux, tout simplement, mais cela semblait impossible ; et l'échec de ses efforts la tourmentait profondément. Une sorte de barrière invisible avait surgi entre eux, infranchissable.

Tôt ou tard, il lui faudrait partir, elle le savait. Elle ne se contenterait pas indéfiniment de tenir l'appartement en ordre et d'attendre chaque soir son retour si cela ne devait lui apporter aucune satisfaction. Pendant un moment, elle avait cru que cela valait la peine d'essayer, qu'ils pourraient peut-être déboucher sur autre chose...

Mais la tension sous-jacente ne faisait qu'empirer, il fallait se rendre à l'évidence.

Seulement, comment trouverait-elle le courage de s'éloigner ? Elle avait envie d'être auprès de lui, le plus longtemps possible. Elle ne voulait pas songer à la suite.

La situation évoquait de plus en plus un cercle vicieux. Découragée, elle tenta de chasser ses idées noires et se tourna en souriant vers Mary.

— Après avoir eu trois garçons, j'imagine que vous souhaitez une fille ? demanda-t-elle.

— Michael, veux-tu poser ce bâton immédiatement ? cria son interlocutrice avant de répondre.

Puis elle se passa la main sur le front et répliqua avec lassitude :

— A vrai dire, cela m'importe peu. Les bébés sont tous aussi fatigants, garçon ou fille !

Légèrement surprise de ce désintérêt pour le petit être à venir, Joey avala une gorgée de café.

— Il semble cruel de s'exprimer ainsi, n'est-ce pas ? poursuivait Mary. Mais je... je ne sais plus. Je m'étais toujours réjouie à l'idée d'avoir un mari, des enfants... Non que je le regrette, bien sûr. Je les adore tous et rien ne compte plus pour moi. Cependant, parfois, j'ai... j'ai l'impression d'étouffer un peu.

Joey lui adressa un sourire encourageant.

— N'avez-vous pas une crise de dépression passagère, comme c'est souvent le cas en fin de grossesse ?

— Mm... peut-être, murmura Mary en fixant la pelouse d'un air absent.

A quelques mètres, les trois garnements se livraient en hurlant à une véritable bataille rangée. Leur mère se leva, les morigéna avec vigueur et revint s'asseoir en poussant un profond soupir.

— Avez-vous jamais travaillé ?

— Bien sûr ! Je possède un diplôme d'ingénieur. Ce qui me surqualifie pour ma tâche de mère de famille, ne trouvez-vous pas ? Je me suis arrêtée à la fin de ma première année de mariage, quand je suis tombée enceinte...

Joey écarquilla les yeux. Elle trouvait choquant que Mary laisse de tels dons inemployés.

— Burt aurait-il exigé que vous restiez à la maison ?

— Non ! Non, j'ai pris la décision de mon propre chef. Burt, au contraire, aurait sans doute préféré que je continue. Mais je... je considère l'éducation des enfants comme une importante responsabilité, et je voulais être entièrement disponible...

Joey ressentait une admiration émue pour le courage et le dévouement de cette femme, sans bien savoir cependant si elle approuvait complètement son choix. Comment se serait-elle comportée elle-même ?

— Ne désirez-vous pas reprendre un emploi ? s'enquit-elle.

— Pas avant qu'ils ne soient tous élevés, ou du moins plus âgés... Par instants, plaisanta Mary, j'ai envie de les laisser se débrouiller tout seuls et de partir sans me retourner ! Mais tant que je suis là, j'accomplis ma tâche de mon mieux.

Elle haussa les épaules, sans que l'on puisse discerner si elle reniait ses paroles ou cherchait juste une position plus confortable.

— En théorie, cela paraît facile et exaltant, ajouta-t-elle. Lorsque j'ai opté pour cette solution, je me sentais pleine d'enthousiasme. Bien sûr, je n'avais pas pensé un seul instant aux aspects négatifs de la vie de femme au foyer. La monotonie, les entraves, les frustrations... Parfois j'ai l'impression que mon existence se limite à un espace d'un kilomètre carré à peine, circonscrit par l'école, l'épicerie et la maison. De temps à autre, nous dînons chez la mère de Burt et c'est au moins un repas que je n'ai pas à préparer, mais il est presque aussi épuisant d'habiller et de calmer les enfants.

Elle fit une petite grimace et étendit devant elle ses jambes douloureuses.

— A certains moments, je m'ennuie à mourir. Je voudrais avoir *autre chose* à faire, n'importe quoi... fût-ce un seul jour par semaine... Vous comprenez, c'est à ce millier de petites contrariétés quotidiennes que je n'avais pas pensé. Voilà ce qui *use* le plus. Comme on dit, ce n'est pas le contenu du vase, mais l'ultime goutte d'eau qui le fait déborder !

Joey, abasourdie par la confession de Mary, se sentait pourtant en parfait accord avec elle, retrouvait chez elle — à un degré différent — des préoccupations qui étaient aussi les siennes.

Elle avait toujours considéré Mary comme une épouse comblée et une mère parfaite, heureuse de sa belle maison, de ses voitures, de son mode de vie. Toutes choses dont Joey n'avait jamais voulu elle-même s'encombrer mais qui, par moments, lui manquaient... Or, elle s'apercevait qu'il n'existait pas de solution idéale et qu'il s'avérait nécessaire, dans tous les cas, de consentir à certains compromis. Mary connaissait d'indéniables difficultés mais, à force de volonté, les surmontait. Sans doute y avait-il là une leçon à tirer...

— Peut-être pourriez-vous trouver un moyen de sortir plus souvent de chez vous, suggéra-t-elle. Aucune loi ne vous contraint à passer chaque minute de la journée en compagnie de vos trois petits diables ! En fait...

Elle se souvenait, brusquement, d'un cours qu'elle avait suivi dans une clinique sur les problèmes parentaux, et ajouta avec conviction :

— ... contrairement à ce que l'on croit souvent, les enfants bénéficient des absences limitées, régulières, de leur mère. Cela leur inculque un esprit d'indépendance et une indéniable autonomie. Je ne vous conseille pas de reprendre un travail à plein temps, bien sûr, mais vous pourriez vous trouver un hobby, un cours à suivre quelques heures par semaine...

Mary, qui l'avait écoutée avec attention, prit l'air rêveur.

— C'est vrai... Je vais vous faire une confidence, Joëy. Savez-vous ce qui me plairait vraiment ?

Ses yeux, pour la première fois depuis qu'elles se connaissaient, pétillaient.

— J'aimerais prendre des leçons de pilotage !

— Mais c'est une excellente idée ! s'écria Joey. Justement, Burt avec son métier pourrait...

Les traits de son interlocutrice s'étaient à nouveau empreints de lassitude.

— Détrompez-vous ! Il me rirait au nez. Il ne me prend plus jamais au sérieux, désormais...

Des piaillements suraigus la firent tressaillir et elle se leva, une fois encore, pour mettre fin à une querelle.

Cette fois, il y avait au moins deux genoux écorchés et l'on fit appel aux talents d'infirmière de Joey. Lorsque tout fut réparé, il se faisait tard et les deux femmes prirent congé. Joey glissa sur le siège arrière de sa voiture une plante ravissante que Mary avait tenu à lui offrir, et démarra en se retournant pour lui faire signe.

A cet instant, le visage marqué, défait, de son hôtesse, debout dans l'allée, la frappa. Elle paraissait beaucoup plus vulnérable que sa ténacité ne le laissait croire. Déjà, deux des petits garçons s'accrochaient à ses basques...

Bien plus tard, Joey devait se reprocher avec amertume de ne pas avoir prêté plus d'attention à certains signes. Les discrets appels à l'aide, le muet désespoir du regard de la jeune femme... Mais même ainsi, aurait-elle vraiment pu lui venir en aide ?

Une fois dans l'appartement de Cameron, elle s'empressa d'installer la plante devant la fenêtre du balcon, en plein soleil. Elle reculait pour juger de l'effet produit lorsque le téléphone sonna.

C'était sa mère. Hâtivement, Joey prépara dans sa tête quelques arguments pour parer aux inévitables critiques... Elle les entendait déjà. « Pourquoi ne m'as-tu pas appelée ? Je me ronge d'inquiétude pour toi. As-tu trouvé du travail ? »

Cette fois, cependant, Lilly Gable la surprit. Elle se borna à annoncer avec entrain :

— J'espère avoir bientôt ta visite pour Thanksgiving, ma chérie. Tes frères et sœurs se joindront à nous, mais il reste de la place...

Joey se sentait fort peu enthousiaste.

— S'ils amènent leurs enfants et leurs conjoints, vous serez déjà bien nombreux...

Quatre frères, deux sœurs, plus les époux et les bambins — elle n'osait y songer. Les réunions de famille, chez les Gable, prenaient vite l'allure de véritables congrès.

— Tu n'es pas venue l'an dernier, souligna sa mère

d'un ton de reproches. Cette fois, tu n'as aucune excuse. Dallas n'est pas si loin ! Et puis, tu ne connais pas encore le dernier-né de Rick...

— Mais, maman, protesta Joey sans grand espoir, ne te fais-tu pas quelques illusions en croyant qu'il y aura de la place ? Où donc vas-tu tous nous loger ?

— Oh, nous nous débrouillerons, ne t'inquiète pas ! L'essentiel, pour moi, est de vous avoir tous autour de moi. J'ai commencé à cuisiner, tu sais ! Deux superbes dindes...

Joey l'écouta énumérer la liste des mets en cherchant désespérément une issue. Elle aimait beaucoup sa famille, mais de préférence un par un. Et cette année, en particulier, elle préférait fuir les assemblées bruyantes... et les questions.

— En somme, je t'attends ce jour-là, conclut sa mère sans lui laisser le temps de répliquer. Dis-moi malgré tout comment tu te portes...

— Oh ! Bien, très bien... balbutia la jeune femme.

Rien à faire, elle n'y échapperait pas !

— Pourquoi n'invites-tu pas Cameron ? suggéra la vieille dame, comme pour se faire pardonner. Nous l'accueillerons avec plaisir.

— Je suis sûre qu'il a des projets avec sa propre famille, maman.

— Eh bien, tant pis ! Alors, à bientôt.

Joey raccrocha, plus furieuse encore contre elle-même que contre sa mère qui, somme toute, se conduisait de façon logique. Elle-même, à vingt-sept ans, aurait dû se montrer capable de maîtriser avec doigté une telle situation. Pourquoi donc ses rapports avec sa propre famille la perturbaient-elle autant ?

Cameron, en arrivant, lui sourit d'un air las. Il

semblait ces derniers temps de plus en plus fatigué par ses journées.

— Quelle jolie plante, remarqua-t-il négligememnt. Où l'as-tu trouvée ?

— Mary m'en a fait cadeau.

— Et tu as encore préparé le dîner. Tu ne devrais pas te donner tout ce mal, Joey. Je m'en serais chargé volontiers.

Il s'exprimait avec sincérité, mais ses paroles, de plus en plus, paraissaient très loin de ses véritables préoccupations. Il avait l'air ailleurs...

Ils prirent place à table. Joey apporta les plats et, comme chaque soir, elle fut frappée par ce qui manquait à l'espèce de rituel formel et courtois qu'ils accomplissaient.

Un homme rentrait chez lui, après une journée de labeur ; une femme l'attendait, prête à l'accueillir, à la lueur des bougies... C'était précisément à cet instant qu'un couple normal se serait embrassé, heureux de se retrouver après de longues heures de séparation. Ils auraient dû passer un long moment dans les bras l'un de l'autre, à savourer le renouvellement quotidien de leur intimité...

Or, au lieu de cela, ils s'asseyaient sans se toucher et laissaient la conversation se perdre dans un méandre de remarques anodines. Ils se conduisaient, en somme, comme deux étrangers partageant par accident la même demeure.

Dans un sens, c'était la vérité pure, bien entendu. Le cœur de la jeune femme lui serrait la poitrine lorsque son compagnon arrivait, elle aurait voulu se lover contre lui, mais la froideur de son regard l'arrêtait immédiatement. Un peu comme si, paradoxalement, revenir chez lui lui pesait, plus encore que de partir.

Le dialogue, ce soir-là, resta poli mais distant. Joey parla de Mary, Cameron de son travail...

Au bout d'un instant, cependant, il lança :

— J'ai pris deux billets pour un concert en plein air, samedi. J'ai songé que cela te ferait plaisir. Il y aura les plus grandes stars contemporaines.

— Quelle excellente idée ! s'écria-t-elle.

Elle gardait un fort bon souvenir de ses sorties avec lui. Il se montrait toujours si drôle, si disert ! Mais, soudain, une crainte la retint.

— Ne... ne risque-t-il pas d'y avoir beaucoup de monde ?

— Si, j'en ai peur. Les sièges ne sont pas numérotés, et il nous faudra arriver très en avance si nous voulons nous asseoir.

Il la fixa un instant, comprenant son inquiétude.

— Si tu redoutes la foule, nous n'irons pas, Joey. Cela n'a pas d'importance.

Elle se sentit profondément reconnaissante de sa sollicitude. Dans la froideur actuelle de leurs rapports, c'était comme si un lien ténu, soudain, venait de se renouer. Elle secoua la tête en souriant.

— Non ! Allons-y. J'affronterai tout ce qu'il faudra. Et même... je ne manquerais pas cela pour un empire !

— Parfait !

Il se détendit et, pour la première fois depuis des jours, son sourire n'avait rien de contraint.

— J'ai eu un appel de ma mère, aujourd'hui, annonça-t-elle.

— Pour Thanksgiving, j'imagine ?

— Oui...

Une fois encore, il avait saisi ce qui la perturbait, sans qu'elle eût besoin de le formuler en longues phrases. Combien d'êtres possédaient cette complicité presque irréelle, cette capacité de deviner l'autre au-delà des mots ? Auparavant, elle acceptait le fait sans se poser de questions, comme s'il allait de soi. A présent, elle s'en émerveillait...

— Toute ma famille sera présente, murmura-t-elle.

Ils étaient passés dans la cuisine. Elle brancha le percolateur et poursuivit avec un soupir :

— Autrement dit, le vacarme équivaudra presque celui du concert ! J'aime beaucoup les voir, bien sûr. Mais tu sais comment cela se passe...

Elle frissonna et se mit à imiter, avec une grimace comique, les inquisitions indiscrètes de ses frères et sœurs.

— « Joey ! Pas encore mariée ? Encore en train de courir le monde comme un explorateur ? Quand donc songeras-tu à te stabiliser ? Dis-nous, y a-t-il un homme dans ta vie, au moins ? Tu devrais t'acheter un appartement. Cela te ferait un point d'ancrage... »

Avec brusquerie, elle ouvrit la machine à laver la vaisselle.

— Ils n'auront à la bouche que leurs enfants, leurs nouvelles voitures, leurs projets de vacances... C'est terrible à dire, mais j'ai en fait très peu de choses en commun avec ma propre famille, Cameron. Je... je ne me reconnais pas en eux. Et le plus affreux, c'est que j'ai vraiment l'impression que ces réunions leur servent en fait de prétexte pour répandre des commérages à mon sujet.

Son interlocuteur murmura quelques paroles d'assentiment et, fixant sur elle un regard perçant, ajouta :

— Surtout cette année, n'est-ce pas ? Avec les événements où tu t'es trouvée mêlée...

Elle hocha la tête en silence. Il avait mis le doigt avec précision sur ce qui la préoccupait le plus.

Auparavant, les ragots que l'on colportait sur son compte restaient relativement innocents. Mais depuis l'affaire, et le scandale du procès, ils prenaient parfois une tournure plus déplaisante. Non que sa famille, un seul instant, l'ait crue coupable : ils l'avaient au contraire soutenue sans faillir, tout du long. Mais leurs commentaires s'étaient teintés de curiosité morbide, et leurs témoignages de sympathie témoignaient à présent d'une certaine condescendance.

— Cependant, murmura Cameron avec bon sens, tu peux difficilement refuser sans excuse valable de te joindre à eux...

— C'est bien cela le problème, acquiesça-t-elle avec un rire bref. Les autres années, mon travail me retenait à des milliers de kilomètres. Mais désormais...

Après avoir chargé la machine, elle la referma et s'y adossa, sans pouvoir dissimuler la lassitude qui marquait ses traits. Lucidement, elle se gourmanda : pourquoi en vouloir autant à sa famille de leur sollicitude, fut-elle parfois envahissante et un tantinet malsaine ? Elle avait survécu à des situations bien plus tragiques.

— J'irai, voilà tout, conclut-elle. Je n'en mourrai pas !

— Il semble effectivement que tu n'aies pas le choix.

Sur ces mots, Cameron quitta la pièce. Elle resta immobile un instant : pourquoi trouvait-elle à sa remarque un vague relent de... de trahison ?

Lorsqu'elle pénétra à son tour dans le salon, elle le trouva au téléphone. Il parlait avec sa mère.

Avis, à l'autre bout du fil, se répandait en longs discours qu'il écoutait avec patience, en hochant la tête, un sourire amusé aux lèvres. De temps à autre, il questionnait : « Et comment a réagi Tracy ? Qu'en a pensé Lewis ? » Puis le flot de paroles — toujours sur les voisins des Scott, sans doute — reprenait à l'autre bout.

— Eh bien, maman, dit-il enfin, soucieux de mettre un terme à ces épanchements, il me semble que si c'est réellement son fils, il devrait...

Joey haussa les sourcils. Les drames complexes qui agitaient cette famille inconnue ne semblaient certes pas se simplifier ! Le lendemain, sans doute, Mme Scott la mettrait elle aussi au courant...

— J'ignore ce que Béatrice fera, fit Cameron avec une ombre d'irritation, mais elle trouvera sans doute une solution. Ecoute, je te téléphonais au sujet de Thanksgiving...

Nouvelle interruption. Le jeune homme leva les yeux au ciel et Joey étouffa un fou rire. Enfin, elle l'entendit dire :

— Justement, pourquoi ne pas inviter la famille de Joey, cette année ? Comme nous le faisions autrefois ?

Elle lui jeta un regard interloqué, n'en croyant pas ses oreilles. Mais Cameron, tête baissée, fixait d'un air absent le tapis.

— Bien sûr. Appelle-là pour te mettre d'accord avec elle. Après tout, cela vous simplifiera la tâche... Et tu téléphoneras demain à Joey pour lui confirmer l'arrangerment. Entendu, maman... Toi aussi.

Il raccrocha et jeta à la jeune femme un regard nonchalant.

— J'ai pensé qu'il serait plus facile pour toi d'avoir...

une sorte de soutien psychologique. En outre, cela t'évitera de devoir y consacrer plus d'une après-midi...

Emportée par la gratitude, Joey poussa un cri de joie et se jeta sur le canapé pour nouer ses bras autour de son cou.

— Oh, Cameron, tu es merveilleux, absolument merveilleux ! Je ne saurais te dire...

La voix étranglée d'émotion, elle l'embrassa sur la joue et nicha sa tête contre son épaule.

D'abord pris au dépourvu, puis agréablement surpris, il se mit à rire et la serra contre lui. Ils luttèrent un instant, par jeu, retrouvant l'insouciance de leurs jeunes années...

Assez vite, cependant, cette bagarre feinte éveilla le désir obscur qui couvait toujours en eux, malgré leurs efforts maladroits pour l'ignorer. Joey sentit les doigts de Cameron se raidir sur son dos. Elle ne s'arrêta pas pour réfléchir ; tout semblait si facile, si naturel, si *logique !* Elle se laissa glisser contre lui. Ses seins effleurèrent le tissu un peu rêche de sa chemise, largement ouverte. Il posa les lèvres au creux de son épaule, et elle frissonna.

Ils se livraient à un vertige à la fois familier, comme s'il leur avait toujours appartenu, et pourtant sans cesse renouvelé ; une onde dont l'intensité, au lieu de s'affaiblir devant leurs désaccords, ne faisait que croître. En cet instant, aux yeux de Joey, plus rien d'autre au monde ne semblait exister que leur propre présence. Elle releva doucement la tête, pensant rencontrer ses lèvres...

Et, à ce moment précis, Cameron s'écarta.

Ce geste de refus la blessa plus durement encore que les précédents. Sa gorge se noua ; un voile blanc passa devant ses yeux, comme si une pierre venait de la frapper avec violence à la tête. Elle fixa sur lui un regard interdit, désespéré.

Il restait si totalement dénué d'expression qu'il avait l'air de porter un masque de cire. Et lorsqu'il parla, sa voix paraissait si neutre que Joey se demanda une brève seconde si toute la scène précédente avait bien existé ailleurs que dans son imagination.

— Burt m'a proposé de jouer au poker, ce soir.

Il tira un cigare de sa poche et l'alluma d'un air négligent.

— Cela te plairait-il ?

La jeune femme prit une longue inspiration. Cela ne pouvait continuer ainsi... Il fallait qu'ils abordent ce problème, d'une manière ou d'une autre. Cependant, quelque chose en elle la poussa à reculer encore un peu la confrontation.

Elle se leva, le visage fermé.

— Non ! jeta-t-elle. Cela ne me dit rien. Mais vas-y si tu y tiens, je t'en prie...

Elle serra les poings. Que voulait-il donc, en fait ? Sa liberté ? Trouvait-il qu'elle entravait trop ses habitudes, son mode de vie ? Mais alors, *pourquoi* ne le disait-il pas, tout simplement ? Pourquoi se bornait-il à lui adresser ces regards vides d'émotion, comme si elle était un poisson dans un aquarium ? Elle ne comprenait pas. Il restait désormais un mystère total, et elle n'avait plus le moindre point de repère pour saisir ce qui se passait.

— Inutile que je joue avec Burt si tu n'es pas là, dit-il, les yeux fixés sur son cigare. Toi seule joue suffisamment bien pour te mesurer avec lui.

Il s'exprimait avec une aisance languide, comme dans la conversation la plus naturelle du monde. Ne sentait-il donc pas le poids qui alourdissait l'atmosphère, cette tension montante, lourde comme un ciel plombé juste avant que l'orage n'éclate ?

— Je manque sans doute d'esprit de compétition, poursuivit-il sur le ton de la plaisanterie. Burt estime que je ne sais pas faire monter les enchères. Toi et lui, en revanche, formeriez une paire parfaite. Tous les deux prêts à lutter bec et ongles pour vaincre et pour gagner... A mon avis, d'ailleurs, il n'avait suggéré de jouer que pour t'inciter à venir.

Mal à l'aise, Joey fronça les sourcils. Pourquoi s'étendait-il ainsi sur le sujet, alors qu'il ne pouvait pas manquer de s'apercevoir qu'elle était au bord des larmes ? Et surtout, pourquoi décelait-elle chez lui une subtile ironie dont la cause lui restait obscure ?

Elle toussa pour s'éclaircir la gorge, craignant d'avoir une voix trop rauque.

— Je... je n'ai nulle envie de passer la nuit autour d'un jeu de cartes. Une autre fois, peut-être...

— Je t'ai connue plus entreprenante, glissa-t-il en allumant un second cigare. Ces temps-ci, peu de distractions semblent te tenter.

Elle avait ouvert la bouche pour répliquer mais, en entendant la remarque suivante, resta pétrifiée.

— Savais-tu que Burt a été très épris de toi, à un moment donné ?

Eberluée, elle le contempla avec fixité plusieurs secondes.

— Burt ? articula-t-elle enfin. Mais je...

Une lueur fugace traversa le regard de Cameron — surprise, satisfaction ? — puis s'éteignit, aussi rapidement que l'une des braises de son cigare. Il ne répondit pas.

Joey n'accordait aucune importance aux sentiments, présents ou passés, de Burt. S'il avait ressenti la moindre attirance pour elle, cela avait dû s'évanouir depuis bien longtemps, et il était inutile de s'en préoccuper. En revanche, les émotions de Cameron l'inquiétaient. Elle inspira avec soin pour affronter ce qui allait suivre.

— Cameron... est-ce cela qui... justifiait ta froideur ? Te sentirais-tu... jaloux ?

Il tira sur son cigare d'un air distant, un peu sardonique.

— De quoi serais-je donc jaloux ? rétorqua-t-il.

La réplique, en fait très ambiguë, ne la soulageait pas le moins du monde. Voulait-il insinuer qu'il savait que rien ne s'était passé ? Ou, au contraire, qu'il croyait l'inverse et n'y accordait pas la moindre importance ?

Elle s'assit sur une chaise, croisa ses longues jambes fuselées serrées dans un jean, et noua ses mains derrière sa nuque, en contemplant le plafond d'un air absent. Tout cela paraissait si absurde, si grotesque ! Les choses, entre eux, n'auraient jamais dû se dérouler de cette manière. Aucun silence lourd de sens, aucun non-dit n'auraient dû obscurcir leur relation. Pourquoi, pourquoi Cameron ne *parlait-il pas* enfin avec franchise ?

Ils restèrent muets un long moment. Puis, après s'être éclairci la gorge, le jeune homme questionna :

— Et... où en est ta recherche de travail ?

— Mme Bernell m'a téléphoné ce matin, répondit-elle machinalement. Pour me proposer un emploi de secrétaire médicale.

Dieu savait qu'elle n'avait nulle envie de se lancer dans les banalités. *A moins que...* il ne s'agisse pas de banalités, justement, et que la question de Cameron ne soit une allusion précise... Mais s'il se lassait de sa présence, pourquoi ne le disait-il pas ? se répéta-t-elle pour la millième fois. A force de tenter de comprendre, elle se sentait la tête douloureuse. Ses yeux la brûlaient...

Il haussa les sourcils.

— Secrétaire médicale ? Cela paraît séduisant...

Elle eut un rire bref, sarcastique.

— Peut-être ne sais-tu pas très bien en quoi cela consiste ! Huit heures enfermée dans un bureau, à prendre des dossiers sous la dictée... En toute sincérité, m'y verrais-tu ?

— Non, reconnut-il. Mais je ne t'aurais pas vue non plus rester oisive pendant plusieurs semaines comme tu viens de le faire. Si tu passes ton temps derrière une machine, du moins, cela te permettra de gagner de l'argent.

Alors, ce devait être cela, le motif !

— Est-ce là l'aspect qui te rend si anxieux, Cameron ? Si cela te pèse que je dépende de toi sur le plan financier, je t'en prie, dis-le-moi et...

— Joey, coupa-t-il avec patience, je t'ai déjà répondu à ce sujet. Cela n'a rien à voir.

Elle n'en pouvait plus. Elle se leva avec brusquerie, les yeux étincelants, les joues cramoisies, et explosa :

— Dans ce cas, je t'en prie, explique-moi une bonne fois pour toutes ce qui se passe ! Tu... tu ne cesses de m'adresser des regards d'indifférence, voire de haine. Tu tolères avec difficulté ma présence ici, avoue-le ! Oh, certes, tu restes courtois et bien élevé. Mais je sens que...

— Cela suffit, Joey, jeta-t-il en écrasant son cigare dans le cendrier. Je n'ai nulle envie de revenir là-dessus.

Son visage s'était durci, et il ne leva pas les yeux vers elle. Elle retint son souffle, n'osant intervenir. Il lui semblait vivre une sorte de cauchemar imprécis, une pièce de théâtre absurde où l'on aurait changé son partenaire sans la prévenir.

Il reprit la parole d'une voix basse, contrôlée, à peine un peu plus rauque.

— Je te répéterai néanmoins, Joey, que tu *es* la bienvenue ici et que tu peux rester aussi longtemps que tu le souhaites. Je ne l'aurais pas dit si je ne le pensais pas. Ma prétendue froideur n'a rien à voir avec cette situation qui au contraire...

— Je sais, l'interrompit-elle, le regard fiévreux. Je comprends, à présent. Le problème ne vient pas des faits, il vient directement de *moi*. C'est cela, n'est-ce pas ? Il y a quelque chose en moi qui te déplaît, qui te perturbe...

Sa voix tremblait à présent, et elle se tut un instant pour se calmer. Puis, les poings serrés, elle reprit :

— Autrefois, il n'en allait pas ainsi. Que se passe-t-il, Cameron ? Quelle faute ai-je donc commise ?

Il se mit debout et arpenta la pièce à longues enjambées.

— Aucune, Joey. Nous avons changé, voilà tout. Toi-même en particulier, ne sais absolument plus ce que tu veux. Moins encore qu'auparavant...

— C'est faux ! protesta-t-elle avec vigueur, sans prendre le temps de peser ses mots. Je le sais très bien, au contraire ! Ce que je veux, c'est...

Elle allait dire « c'est toi ». Le pronom se formait déjà sur ses lèvres... Mais il ne lui laissa pas le temps d'achever. Furieux, il fit volte-face et, d'un regard impérieux, lui intima de se taire. Jamais elle ne l'avait vu dans une telle rage... D'instinct, elle se recroquevilla sur son siège.

— Te rends-tu seulement compte, Joey, de ce que cela me fait de te voir jouer ce rôle qui ne te convient pas, qui ne t'a jamais convenu ? Tu tiens ma demeure, prépares mes repas, mimes la femme au foyer... Et ce faisant, tu écrases ta véritable personnalité, j'en ai autant conscience que toi !

Stupéfaite de cette violente diatribe, elle balbutia avec maladresse !

— Je... je pensais te faire plaisir. Je n'ai agi ainsi que pour...

— Pour me rembourser une prétendue dette qui n'existe nulle part ailleurs que dans ton imagination, complétà-t-il sèchement. Comme si cela me coûtait le moins du monde de t'héberger ici... Eh bien, grand merci, mais je n'ai nul besoin d'une femme de chambre à domicile. Et je refuse que tu ailles à l'encontre de ta propre nature uniquement à cause de moi.

— En somme, cela te met en rage que je prépare tes repas et maintienne un semblant d'ordre ? questionna-t-elle, abasourdie.

— Oui. C'est-à-dire non... Bon sang, comment te faire comprendre ce que je veux dire, Joey ? Je ne veux pas que tu *changes* dans le seul but de me satisfaire. Saisis-tu ?

Mais la jeune femme se sentait à bout de patience. Elle n'avait plus l'énergie de prêter l'oreille à ces bêtises ! Elle se leva d'un air résolu, fonça vers la cuisine, et réapparut, un plat surgelé à la main.

— Veux-tu connaître la vérité sur mes talents domestiques ? s'écria-t-elle en agitant le paquet. Regarde !

Cinq minutes dans un four, et aucune préparation. Voici ce dont tu te régales depuis le début ! Cela te satisfait-il ?

Il hésita un instant, puis eut un sourire défait.

— Je sais parfaitement que tu ne cuisines jamais. Tu ne m'as pas abusée un seul instant... Mais écoute-moi, ma chérie. Le problème n'est pas là...

Il lui prit la boîte des mains, la jeta sur le sol, puis s'approcha et la serra contre lui.

Joey restait muette de surprise. Une seule pensée, à présent, lui occupait l'esprit : « Il m'a appelée chérie. Il y avait si longtemps... »

Cameron reprit d'une voix lasse :

— Je te parle de... de compromis, d'obligations. De toutes ces choses que nous voudrions obtenir de l'autre, ces choses impossibles...

Elle lut, dans son regard, un désarroi qui la troublait d'autant plus qu'elle ne le comprenait pas. Il la tenait dans ses bras, mais sans se détendre, sans l'étreindre avec tendresse comme elle l'aurait souhaité... Elle ne voyait rien d'autre. Si seulement il avait renoncé à ce discours qui n'avait aucun sens, qui les faisait souffrir sans raison... Elle ferma les yeux un bref instant, puis les rouvrit et se força à parler d'une voix calme.

— Non, Cameron. Il n'est pas question de quelconque compromis. Il est question de savoir pourquoi tu fuis chaque fois que... que nous avons le moindre contact physique. Pourquoi tu me rejettes, comme si, en fait, t... tu ne me désirais plus...

Elle leva timidement les yeux vers lui, s'attendant à l'avoir apaisé, et, consternée, se rendit compte que toute sa rage semblait l'avoir repris. Il serrait les lèvres, fronçait les sourcils, et une émotion nouvelle se trahissait sur son visage : la méfiance.

Il emprisonna avec violence le frêle poignet de la jeune femme dans sa main et jeta :

— Ainsi, c'est cela qui te préoccupes, n'est-ce pas ? La possibilité de rapports physiques. Cela et rien d'autre... Eh bien, rassure-toi. Je te désire encore, tu as ma parole d'honneur. Cela te satisfait-il ?

Puis il la lâcha et se détourna. Bouleversée, Joey resta sans voix. Avait-il vraiment d'elle cette vision déformée, caricaturale ? Figée sur place, ne trouvant rien à répondre, elle le regarda se passer la main dans les cheveux, les traits tendus. Lorsqu'il reprit la parole, un vague mépris se discernait encore dans son expression.

— Il est temps que tu comprennes une chose, Joey. Tu te comportes, actuellement, comme tu t'es comportée toute la vie ; c'est-à-dire que tu t'empresses de payer des dettes — pour la plupart imaginaires — avant qu'elles ne te créent le moindre lien. Ce que tu souhaites par-dessus tout, de ta famille comme de moi, c'est éviter que l'on t'aime, car tu vis l'amour comme un piège. Et cela te rend *incapable* de concevoir que l'on puisse te faire le moindre don, t'offrir le moindre service sans rien te demander en retour. Voilà toute la raison de tes dîners aux chandelles, de tes petits soins... Tu serais prête à tout sacrifier, y compris ta sensualité, pour pouvoir partir un jour sans plus rien devoir. Tu veux te sentir quitte afin que rien ne te retienne...

Joey n'en croyait pas ses oreilles. L'injustice de ces accusations la blessait profondément, la faisait trembler de rage. S'il avait été plus proche, elle l'aurait giflé, de toutes ses forces.

— Co... comment *oses-tu* ! hoqueta-t-elle, le regard fiévreux. Comment peux-tu même suggérer que... que je livrerais mon corps dans un seul but de m'assurer le... le gîte et le couvert !... je ne...

Elle s'interrompit, la gorge nouée, et sentit des larmes brûlantes ruisseler sur ses joues.

— Jamais je n'aurais cru cela de toi, Cameron.

Non. Elle n'aurait pas imaginé un seul instant que les pensées de son compagnon puissent prendre une telle tournure, et cette révélation lui donnait l'impression qu'une lame aiguë venait de la transpercer.

Cameron leva vers elle un visage curieusement étonné, comme s'il venait à l'instant d'entendre ses propres mots et d'en saisir enfin la portée. Puis il la vit en pleurs, ouvrit les bras et s'approcha.

Elle se détourna sans lui permettre de la toucher et, ses jambes se dérobant sous elle, se laissa tomber sur le canapé. Dans un immense effort de volonté, elle redressa le menton et sécha ses larmes.

— Joey... murmura-t-il.

Sa voix, radoucie, était emplie de confusion.

— Je n'ai jamais voulu impliquer cela, crois-moi. Je n'ai jamais voulu te faire de la peine...

Il soupira et s'affala à côté d'elle, les yeux clos.

— Je... je n'arrive pas à croire que nous venons de nous quereller.

La jeune femme avala sa salive. Elle le savait sincère ; il n'avait certainement pas désiré la heurter. Ses mots avaient dépassé sa pensée... Mais ce n'était pas cela qui la tourmentait le plus ; c'était tout ce qui, encore une fois, restait non-dit, le fait de ne pas avoir réussi à savoir ce qui perturbait autant Cameron.

Un long moment, le silence ne fut brisé que par le sourd ronronnement, dans la cuisine, du lave-vaisselle.

Le jeune homme restait parfaitement immobile. Joey

aurait voulu se tourner vers lui, sourire, parler pour ramener les choses à leur état antérieur et effacer ces quelques minutes qui avaient tout faussé. Mais ils ne pouvaient faire machine arrière... Et tous deux le savaient.

— Joey... dit enfin Cameron, ces trois semaines entre nous se sont avérées difficiles et tendues, j'en suis conscient. Parce que nous voudrions nous replonger dans le passé sans tenir compte de tout ce qui a changé... Or c'est malheureusement impossible. Du moins pour moi.

Elle leva les yeux vers lui ; il avait l'air grave. Et s'il lui demandait de comprendre, il semblait néanmoins douter qu'elle en soit capable.

— Tout cela m'attriste, crois-moi, ajouta-t-il. Je... je n'aime pas la façon dont tu as essayé d'évoluer, de transformer ta vraie nature, pour t'adapter à moi. Comme si tu... tu pensais que je désirais te mettre en cage. Ce n'est absolument pas le cas...

Elle leva la main pour protester, mais il l'interrompit.

— Je suis sincère, Joey. En t'invitant à venir ici, j'ai fait preuve d'égoïsme, voilà tout. Car d'une certaine manière, c'était un moyen de t'obliger à rester sur place... définitivement. Pour toi, au contraire, il ne s'agit là que d'une période temporaire, une sorte de convalescence... Lorsque tu auras repris des forces, tu reprendras ton vol, je le sais. Et tu ne pourras pas faire autrement.

Confusément, la jeune femme avait envie d'objecter, de le convaincre qu'il se trompait, qu'elle ne désirait rien d'autre que de demeurer à ses côtés. Mais une autre partie d'elle-même la poussait à se taire ; Cameron n'énonçait-il pas toujours la vérité ? Il la connaissait mieux qu'elle ne se connaissait elle-même. Comment aller à l'encontre de la moindre de ses affirmations ? Il décrivait sans doute la réalité telle qu'elle était, incontournable. Elle se sentait le cœur lourd, la tête lui tournait... mais aucune parole qui eût pu le contredire ne monta à ses lèvres.

Elle garda le silence de longues minutes puis murmura enfin, d'une voix brisée :

— Que... qu'attends-tu exactement de moi, Cameron ?

Elle se plierait à toutes ses sentences, exécuterait avec joie ses moindres exigences. Il n'avait qu'à parler...

Il eut un sourire fugace, empreint d'une curieuse nostalgie.

— Je voudrais... autre chose qu'une liaison en pointillés. Autre chose que de brèves rencontres physiques lors des... « entractes » entre chacun de tes voyages. Je m'exprime un peu brutalement, Joey, mais je n'ai pas le choix. Je n'ai pas la vocation d'un intérimaire du sentiment, et ne me sens aucun goût pour les relations temporaires, fussent-elles plus ou moins longues. En somme, il existe entre nous une tragique incompatibilité. Ni toi ni moi n'y pouvons rien. Sauf peut-être tenter de ne pas nous faire souffrir plus que nous ne l'avons jamais fait...

Des pensées tourbillonnantes, désordonnées, se pressaient dans l'esprit de Joey. Il y aurait eu des arguments à lui opposer, des failles à souligner dans son raisonnement... Mais tout cela restait encore trop neuf, trop perturbant. Elle ne savait par où commencer.

Si seulement il lui avait laissé le temps de réfléchir, de mettre de l'ordre dans ses idées, avant de prononcer ainsi l'arrêt définitif qui mettait fin, pour eux, à tout espoir d'autre chose ! Mais c'était presque comme s'il la poussait dans des retranchements où, au fond d'elle-même, elle n'aurait pas voulu aller, mais dont il l'empêchait de sortir. La « cage » où il souhaitait ne pas l'emprisonner paraissait surgir bel et bien, dans un autre sens que celui où il l'entendait...

Une fois encore, à l'instant où elle ouvrait la bouche, il ne la laissa pas prendre la parole. Il glissa une main derrière son cou, l'embrassa avec douceur sur la joue, et murmura :

— Ne t'en fais pas trop. Tant que nous préserverons le statu quo actuel, tout ira bien...

Alors, soudain, elle comprit pourquoi elle n'avait réussi à formuler aucune protestation ; parce qu'il ne lui avait pas demandé le moindre engagement. Il la mettait devant le fait accompli, sans même solliciter son avis.

Or lorsque personne ne vous pose de question, il est inutile et même impossible de fournir une réponse, n'est-ce pas ?

Si rien n'avait changé, c'était parce que Cameron ne le voulait pas.

Et dans cette optique, elle voyait difficilement comment les choses pourraient évoluer.

Chapitre 8

Joey n'avait pas revu Burt depuis que Cameron lui avait parlé de son ancien attachement pour elle, et elle craignait un peu de ressentir une certaine gêne en sa présence. Heureusement, elle s'aperçut avec soulagement que ce n'était pas le cas.

Burt fit irruption dans le petit bureau de leur agence et la salua d'un clin d'œil.

— Bonjour, belle enfant ! Te voilà particulièrement « chic », aujourd'hui. Félicitations !

Joey sourit. Elle avait revêtu un pantalon mordoré, qui mettait en valeur sa fine silhouette, y avait assorti une blouse de soie aux tons fauves et avait jeté sur ses épaules, au cas où il ferait un peu froid durant le concert, une veste de cachemire. Par jeu, elle lui fit une brève courbette et plaisanta :

— Merci de vos compliments, messire. Votre tenue semble elle-même très élégante.

Burt, qui aimait les vêtements un peu voyants, arborait un blouson d'aviateur et une superbe paire de lunettes noires. Joey ne pouvait s'empêcher de songer que Cameron n'avait nul besoin de se harnacher ainsi pour paraître irrésistible... Mais Burt s'était toujours montré très soucieux de son image, derrière laquelle en fait il se dissimulait souvent de manière un peu puérile.

Flatté, il pivota sur lui-même.

— N'ai-je pas l'air redoutable ? Aucun pilote du Texas ne doit m'arriver à la cheville...

Il parcourut rapidement son courrier, lança quelques ordres à la secrétaire dans le bureau voisin, puis reprit :

— Cameron sait-il que tu es ici ?

— Il ne va pas tarder... il se change.

Ils s'étaient donnés rendez-vous sur le terrain d'aviation, proche du lieu du concert, pour éviter les embouteillages, redoutables dans la ville en début de soirée.

Une semaine s'était écoulée depuis leur dernière conversation « sérieuse » et, Dieu merci, l'atmosphère était restée relativement détendue. Leur querelle, pénible sur le moment, avait d'une certaine façon éclairci l'atmosphère, en redéfinissant les limites de leurs relations.

Cameron paraissait plus à l'aise, et Joey prenait sur elle-même pour accepter les termes de son diktat. Elle y parvenait sans trop de difficultés apparentes... du moins pendant la journée. Car la nuit, en revanche, seule dans son lit, elle se sentait à nouveau assaillie par le doute. De lancinantes questions sans réponses la tenaient éveillée de longues heures. Inlassablement, elle tentait de se convaincre que Cameron avait raison, et elle tort. Elle essayait en vain de chasser son farouche désir de voir les choses bouger... Il y avait tout simplement dans l'existence, se répétait-elle, deux catégories de choses : celles que l'on pouvait obtenir, et celles qui demeuraient inaccessibles. Pourquoi donc perdre son temps à regretter les secondes ?

Facile à dire... car, si elle renonçait à perdre Cameron

comme il semblait le souhaiter, que pourrait-elle bien désirer d'autre ? Rien ne se présentait à son esprit.

Elle n'osait pas même imaginer ce qui se passerait si son compagnon changeait d'attitude. Leur hypothétique futur commun restait obscurci, comme un brouillard, par les vigoureuses dénégations de Cameron : leur relation n'avait pas d'avenir, n'en avait jamais eu... et le fait qu'elle soit venue à lui dans une période de détresse n'indiquait pas qu'il puisse en être autrement. Souhaitait-elle vraiment la stabilité ? Cameron affirmait que non ; pourquoi se tromperait-il ?

Blessée par ses déboires successifs, troublée, Joey avait l'impression de ne même plus savoir ce qu'elle voulait, d'être devenue, pour elle-même, une inconnue. Certes, un besoin de permanence semblait se faire jour en elle, hésitant, encore fragile, mais elle ignorait à quoi l'attribuer et redoutait de l'admettre pour sien. Peut-être s'agissait-il juste des conséquences d'une année difficile... Pourtant, confusément, elle sentait que cette nouvelle émergence, pour la première fois, ne s'évanouirait pas lorsqu'elle repartirait à nouveau.

— Toujours pas de travail en vue ? s'enquit Burt, la tirant de ses pensées.

Depuis quelque temps, chaque fois qu'ils la rencontraient, les gens lui posaient systématiquement la question. Au début, sans raison logique, elle leur en voulait, puis elle avait fini par se raisonner. N'était-ce pas, après tout, le motif premier de sa venue à Dallas ? Certes, elle avait bien d'autres préoccupations en tête, mais ne l'aurait avoué pour rien au monde.

— Non, j'en ai peur, répondit-elle. On ne me propose rien qui corresponde à mes qualifications.

Elle n'avait d'ailleurs pas à se reprocher le moindre

laisser-aller, car elle avait beaucoup intensifié ses recherches. Cameron lui avait offert un havre, où elle aurait eu la tentation de se réfugier indéfiniment ; mais il n'en était pas question. Tôt ou tard, leur curieux ersatz de vie conjugale devrait prendre fin. Il lui fallait agir vite avant qu'il ne devienne trop douloureux d'abandonner cette illusion d'un foyer, d'une vie normale...

Cependant, elle ne pouvait se résoudre à accepter les offres liées au domaine médical, ce qui restreignait les possibilités.

Burt, ignorant qu'elle ne désirait plus travailler comme infirmière, fronça les sourcils.

— C'est étrange. Le secteur des hôpitaux et des cliniques semble pourtant à Dallas en plein essor... Et peu peuvent se targuer d'une expérience professionnelle similaire à la tienne.

— Je... ne souhaite pas retourner dans ce secteur, expliqua-t-elle avec franchise.

Puis, comme mue par le besoin de se justifier, elle ajouta :

— Je songeais déjà à changer avant même l'affaire Williams. Toutes ces souffrances, ces morts quotidiennes... Au bout d'un moment, je... je n'en pouvais plus.

Le jeune homme hocha la tête.

— Oui, vous avez de graves responsabilités. Parfois trop lourdes, j'imagine.

Elle ouvrit la bouche pour répliquer, puis se retint. Jamais pour elle il n'avait été question de fuir ses responsabilités. Au contraire ! Mais dans ce cas... pourquoi décidait-elle de mettre un terme aussi brusque à sa carrière ? La lassitude justifierait-elle tout ? Ou bien y avait-il... d'autres raisons, plus cachées ?

Mieux valait ne pas s'éterniser sur le sujet.

— Comment se porte la future mère ? demanda-t-elle.

— Elle patiente... paresseusement !

Joey haussa les sourcils.

— Mary ne me donne certes pas l'impression de faire preuve de paresse !

— Je plaisantais, corrigea Burt en souriant, ne pouvant dissimuler sa fierté d'être bientôt à nouveau père. D'après le médecin, tout se passe très bien, et la naissance risque d'avoir lieu juste pour Thanksgiving.

— Je suppose qu'ensuite, vous vous arrêterez, suggéra Joey avec tact. Quatre enfants, cela doit s'avérer assez fatigant.

— Certes ! admit le jeune homme avec une petite grimace. Parfois, Joey, je me dis que c'est toi qui as eu raison de ne pas t'encombrer d'une famille. Tu restes libre comme l'air, tu peux aller du jour au lendemain où cela te chante... Lorsque l'on se marie, au contraire, tout paraît très romantique au début, puis l'on se retrouve cloué au sol, comme un oiseau aux ailes coupées.

Il eut un rire bref, presque d'excuses, et ajouta :

— Enfin ! S'il faut en croire le proverbe, comme l'on fait son lit, on se couche, n'est-ce pas ? Et bien entendu, il existe des compensations au fait de fonder un foyer. Je ne le nie pas un seul instant...

Cameron entra dans la pièce.

— Bonjour, tous les deux. Es-tu prête, Joey ? Nous devons nous hâter...

La jeune femme prit congé de Burt, pensive. Sa longue tirade, sans qu'elle sût pourquoi, l'avait troublée.

Elle prit place aux côtés de Cameron, dans la voiture,

tout en lui jetant un regard discrètement admiratif. Elle le trouvait, ce soir-là, particulièrement séduisant... Son blouson de lainage vert amande, faisait ressortir la nuance de ses yeux, et il avait noué autour de son cou un foulard de soie blanche qui accentuait encore son bronzage et le noir de sa chevelure, souple et brillante.

Aucune femme ne lui résisterait, songea Joey avec mélancolie. *Pourquoi serais-je différente ?*

Mais Cameron, elle le savait pertinemment, ne dispensait pas son affection à la première venue. Au contraire... Il lui avait fait comprendre sans détour qu'il n'avait pas le moindre goût pour les liaisons superficielles, les passades. Il exigeait un engagement total et sans compromis... Il ne séparait jamais les sentiments de la passion physique, et détestait la façon contemporaine de passer d'un partenaire à un autre sur un simple coup de tête. Il aimait la stabilité, la durée, le solide. S'il y avait bien quelqu'un à qui les responsabilités ne faisaient pas peur, c'était lui.

Et elle-même ? Avec lucidité, elle se posa la question. Toute son existence, elle s'était vue comme une personne autonome, responsable. Instable dans un sens, peut-être, mais n'avait-elle pas répondu, pendant des années, de la vie de centaines de malades ? Pas une seule fois, elle n'était partie avant d'avoir accompli sa tâche...

A moins que... cette fois, justement, elle n'ait fui — comme l'avait suggéré Burt avec maladresse — lorsque cette tâche se faisait trop lourde, lorsque la souffrance des autres devenait insupportable.

D'après Cameron, elle s'était comportée dans sa profession et dans sa vie comme s'il était de son devoir d'acquitter une lourde dette imaginaire, de se débarrasser de toute obligation pesant sur sa liberté. Elle avait souffert de cette remarque, mais ne pouvait la rejeter entièrement. Peut-être, quelque part, avait-il raison ; peut-être voyait-elle dans la générosité et la compassion d'autrui un poids, une menace, qu'elle avait seulement pu affronter en choisissant un métier qui requérait des sacrifices constants. En un sens, cela lui permettait de régler *par avance* cette sorte de facture que lui tendait la société, les autres, dès l'instant qu'un rapport un tant soit peu affectif était en jeu.

Or, cette attitude si particulière n'avait-elle pas fini par se retourner contre elle comme un piège, qu'elle aurait elle-même construit ? En décidant de ne plus être infirmière, s'évadait-elle à nouveau d'exigences trop pesantes ?

Le visage de Bobby Williams lui traversa l'esprit. Dieu savait que, dans ce cas précis, elle ne s'était pas dérobée. Elle avait accepté, jusqu'à son point le plus ultime, la charge d'une souffrance... et cette expérience avait failli la détruire. Personne au monde, même pas Cameron, ne savait à quel point...

De mieux en mieux — et avec une tristesse croissante — elle comprenait pourquoi Cameron la rejetait, pourquoi il ne pouvait imaginer de faire d'elle partie intégrante de son existence. C'était à cause de limites, d'interdictions confuses qu'elle s'était imposées à elle-même, au fil des années. Inconsciemment, elle refusait la responsabilité d'une relation véritable. Elle avait peur d'un amour complet, dans tous les sens du terme.

Subrepticement, elle chassa les larmes qui perlaient à ses yeux.

Le concert avait lieu dans un stade de plein air, ultramoderne, et l'affiche avait attiré énormément de monde ; presque deux heures avant le début, les véhicules se suivaient sur la route presque pare-chocs contre pare-chocs. Cameron et Joey, par miracle, réussirent à trouver une place à moins d'un kilomètre, et ils firent à pied le reste du trajet.

Des groupes rieurs se succédaient sur les bas-côtés. A l'horizon, une véritable marée humaine commençait à pénétrer dans le stade... Joey sentit sa gorge se nouer. Sa crainte absurde des rassemblements la reprenait, et elle se demandait si elle aurait le courage de se frayer un chemin jusqu'aux gradins.

Par bonheur, c'était une fort belle journée d'arrière-saison, tiède et clémente, et les gens restaient calmes et détendus. Cameron la prit par la main ; sans difficultés, ils se joignirent au flot et gagnèrent des places bien situées, dans les premiers rangs.

Tout autour d'eux, une foule bigarrée emplissait peu à peu le stade. Des étudiants offraient des rafraîchissements, des sandwiches ; des enfants se poursuivaient dans les allées, des groupes de collégiens chahutaient... Il n'y avait là rien d'effrayant, et pourtant la jeune femme se sentait de plus en plus mal à l'aise. Le stade, peu à peu, devenait noir de monde, et la rumeur assourdissante. Elle avait l'impression de ne plus avoir devant elle des individus distincts, mais une sorte de pieuvre gigantesque, mouvante, qui allait l'engloutir...

Elle restait silencieuse mais Cameron devina aussitôt la tension qui montait en elle. Avec douceur, il lui posa une main sur la nuque.

Ce geste, du moins, lui rendit la capacité de parler. D'un ton heurté, elle balbutia :

— Cameron, je... je ne crois pas que je supporterai de passer deux heures ainsi, au milieu de tous ces gens...

— Je me disais aussi que je risquais vite de mourir de faim, répondit-il avec un parfait naturel, feignant habilement de se méprendre sur les raisons de son anxiété. Pourquoi n'allons-nous pas prendre un sandwich ? Il y a une buvette tout près, et nous aurons tout le temps de revenir nous asseoir.

Elle hocha la tête et le suivit, s'efforçant de respirer avec calme. Une fine transpiration lui couvrait les tempes et elle sentait ses muscles frémir spasmodiquement, comme parcourus de minuscules décharges électriques. D'ordinaire, elle parvenait à maîtriser ses tendances à la claustrophobie. Mais cette fois, toutes les tensions accumulées en elle avaient pris le dessus, et elle s'était laissée allée à la panique... C'était stupide et absurde, se gourmanda-t-elle.

Elle observa son compagnon du coin de l'œil. Il devait la trouver un peu ridicule... Mais son visage ne trahissait rien, comme s'il n'avait rien vu d'anormal. Progressivement, elle se détendit. Après tout, en sa présence, qu'avait-elle à craindre ?

La buvette, en fait, fournissait aussi des plats chauds, que l'on pouvait consommer sur place ou emporter à l'extérieur. Comme la plupart des gens préféraient se restaurer au soleil, ils trouvèrent sans difficultés une table.

Soulagée de ne plus voir la foule, Joey regarda autour d'elle. Le décor n'avait rien de très engageant ; dans la baraque, à peine terminée, traînaient encore des sacs de plâtre, et un coup de pinceau hâtif avait couvert les murs. Les bouteilles vides et les serviettes froissées des précédents occupants jonchaient les tables.

— Le décor n'a rien de luxueux, plaisanta Cameron. D'ordinaire, on sert ici des sportifs, que je soupçonne beaucoup moins exigeants que les mélomanes !

— En revanche, riposta la jeune femme en humant la délicieuse odeur qui s'échappait des cuisines, on semble prendre soin de leur appétit...

Le chef lui-même, un gros homme débonnaire en tablier blanc, vint prendre leur commande. Le choix se limitait à trois plats, mais le « chili con carne » pour lequel ils optèrent s'avéra bel et bien succulent.

Tout en emplissant crânement son verre de bière brune, à l'instar de son compagnon, Joey se détentit de plus en plus, et se rendit compte au bout d'un moment qu'elle riait de bon cœur aux commentaires pleins d'humour qu'il lançait.

Comme autrefois, lorsqu'ils étaient collégiens, ils jouissaient d'un moment de bonheur privilégié, échangeaient répartie sur répartie. Comme autrefois encore, Cameron savait à merveille comment s'y prendre pour venir à la rescousse lorsqu'elle se mettait impulsivement dans un nouveau guêpier. Il y avait eu ainsi d'innombrables exercices de mathématiques qu'il lui avait fait comprendre à la dernière minute, des livres prêtés lorsqu'elle avait oublié le sien...

Elle pouvait toujours faire appel à lui, il ne lui faisait jamais défaut. Combien de fois, quand un « boy-friend » l'abandonnait inopinément pour une soirée ou un anniversaire, s'était-elle montrée au bras de Cameron, ravie des regards envieux que leur jetaient toutes les péronnelles présentes ! En général, le prétendant négligent se repentait avec amertume, et Joey s'offrait alors avec une joie sans mélange la douce vengeance de se montrer hautaine et dédaigneuse...

Oui, Cameron lui apportait toujours exactement ce dont elle avait besoin, avec un tel naturel que cela avait fini par lui paraître comme allant parfaitement de soi. Qui plus est, il semblait lui-même y prendre plaisir, comme s'il n'était jamais aussi heureux que lorsqu'il pouvait faire quelque chose pour elle.

Dix ans s'étaient écoulés. Et, de nouveau réunis dans un petit café sans prétention, ils riaient comme auparavant... et Cameron, encore une fois, la rendait heureuse.

— Tu sais, murmura-t-elle, soudain pensive, je pense que c'est une chance extraordinaire que nous avons de... d'être restés amis aussi longtemps. Cela doit arriver à fort peu de gens... Connaître quelqu'un dès l'enfance, et malgré tout garder des liens privilégiés dans l'âge adulte...

Il hocha la tête en souriant.

— Raison de plus pour y veiller jalousement, fit-il avec douceur.

Faisait-il allusion à... son attitude présente ? Un court instant, une ombre fugace vint obscurcir l'insouciance qu'elle ressentait depuis le début du repas. Elle avait l'impression confuse qu'il prenait sur lui de préserver leur amitié, d'entretenir une flamme fragile, comme pour ne pas l'abandonner aux mains maladroites de sa compagne...

Après avoir réglé la note, ils entreprirent de regagner leur rangée. Joey, à présent, se sentait préparée à affronter la cohue, et sa respiration se fit à peine un peu plus haletante.

Ils étaient assis à quelques dizaines de mètres de la scène et avaient une très bonne vue sur les musiciens et leurs instruments. A sa grande surprise, Joey s'aperçut que la vaste estrade de bois était entourée d'une sorte de grillage. Elle pointa le doigt.

— Qu'est-ce donc que cela ?

Cameron se mit à rire, amusé.

— On voit que tu ne t'es pas rendue à un concert depuis longtemps, petite fille ! Ce grillage sert de protection. Les jeunes fanatiques de musique « rock », comme tu ne l'ignores sans doute pas, ont parfois tendance à manifester leur enthousiasme de manière un peu... excessive. Les chanteurs n'ont donc guère envie qu'une canette de bière inopportune vienne abîmer leur matériel... La musique en plein air, souvent, débride des passions frénétiques !

La jeune femme secoua la tête.

— Que des musiciens soient contraints de jouer en cage... Je trouve cela un peu triste !

— Signe des temps, mon enfant, plaisanta-t-il.

Il se pencha pour lui caresser doucement les cheveux.

— Tu es... ravissante, ce soir.

Il n'y avait rien eu de plus qu'un simple geste, quelques paroles, et pourtant Joey eut l'impression que le monde pivotait sur son axe et que le pourpre du crépuscule se faisait plus brillant encore. Elle se sentit rougir... Cameron le remarqua et son regard scintilla de tendre ironie.

— Et tu deviens plus belle encore avec les joues roses !

Il s'enfonça plus profondément dans son siège, appuyant contre Joey une épaule protectrice, et ils se distrayèrent à contempler la foule qui les entourait. De nombreux jeunes texans avaient revêtu des tenues traditionnelles de cow-boys, avec des pantalons de cuir et des chapeaux à large bord, faisant assaut de charme auprès des jeunes filles. L'un d'eux, derrière eux, déployait une tactique que Joey et Cameron trouvèrent particulièrement divertissante. Il parlait à tue-tête et il s'avérait impossible de ne pas l'entendre.

Il avait commencé par un classique « Vous habitez près d'ici ? » suivi, dans le langage adolescent caractéristique, d'un tout aussi original : « Il fait un temps super, hein ? »

La jeune fille — une étudiante chargée de livres — ayant omis de répliquer, il revint à la charge :

— Qu'est-ce que vous lisez, là ?

Elle murmura le titre d'un ouvrage de psychologie.

— Ah, la psycho ! s'écria-t-il. C'est du sérieux, ça, et super-passionnant. Je veux dire, l'esprit, tout ça... Ouais, je travaille un peu là-dessus, moi aussi. Je peux jeter un coup d'œil ?

Apparemment, son interlocutrice dut s'exécuter bon gré mal gré, car il ajouta ensuite :

— Eh, ça m'a l'air très compliqué, ça ! Vous êtes une intellectuelle, vous. Quel est votre collège ?

Sa compagne lui donna le nom du bout des lèvres... une erreur indéniable de sa part, car il se sentit encouragé à poursuivre :

— Ah ! Moi, je suis déjà en fac. Première année. C'est passionnant. On apprend des choses, tout ça... Et puis, je commence à réfléchir, vous voyez ? La vie, l'avenir...

Joey leva les yeux au ciel, riant à moitié.

— Mon Dieu ! chuchota-t-elle. As-tu entendu cela, Cameron ? Ce... langage me donne des inquiétudes sur les vertus de notre système éducatif !

Il hocha discrètement la tête.

— As-tu observé sa tenue ? Coiffure à l'iroquoise et

boucle d'oreille. Vraiment cool, tu vois ? plaisanta-t-il, imitant le jeune homme.

Joey pouffa en se mordant les lèvres.

— Crois-tu que nous nous exprimions de la même façon, à leur âge ? souffla-t-elle.

— J'espère que non ! Mais d'après mes souvenirs, je ne crois pas. Cela dit, nous nous montrions sans doute tout aussi naïfs...

Il s'interrompit et posa un doigt sur ses lèvres ; un ami du premier adolescent venait de le rejoindre.

— Eh, salut ! J'ai eu du mal à te retrouver, mon vieux. Je te cherche depuis le début...

— Je suis là, tu vois ! En charmante compagnie...

Par jeu, ils commencèrent à lutter, renversant par mégarde un verre de Coca-Cola sur les livres de la jeune fille qui protesta :

— Etes-vous devenus fous ? Regardez ce que vous avez fait !

Mais ils ne lui prêtaient plus la moindre attention, et Joey, scandalisée, se sentit d'autant plus furieuse qu'un coup de coude venait de la heurter dans le dos. Elle retint une réplique acerbe ; toute la tension qu'elle avait réussi à chasser la submergeait à nouveau. « *S'ils ne cessent pas à l'instant*, songea-t-elle les dents serrées, *je vais leur dire ma façon de penser* ! »

Au même instant, l'un des deux eut l'idée de génie de faire subir à l'autre une prise de judo, et deux pieds chaussés de tennis douteuses passèrent à trois centimètres de la joue de Joey pour atterrir sur l'épaule de Cameron.

Tout autre que ce dernier serait sans doute intervenu violemment. Avec un calme parfait, cependant, il se borna à saisir des deux mains les chevilles de l'intrus pour l'obliger à se rasseoir, tout en le foudroyant du regard.

Ils se calmèrent quelques instants, puis la mêlée recommença. Haussant les épaules, Cameron suggéra en se tournant vers Joey :

— Pourquoi n'allons-nous pas nous asseoir plus haut ? Il reste des places, et la vue sera encore meilleure.

Elle acquiesça et se leva, un peu surprise de la façon nonchalante dont il évitait l'affrontement. Il devait bien savoir, cependant, que quelques mots bien sentis de sa part auraient suffi à annihiler une fois pour toutes les deux garnements... Pourquoi refusait-il d'engager un combat qu'il était sûr d'emporter avec le minimum d'efforts ?

Peut-être, justement, parce qu'il ne doutait pas un seul instant de pouvoir vaincre, songea-t-elle soudain. Un homme convaincu de sa force n'avait nul besoin de la prouver à tout bout de champ. En fait, elle admirait son assurance sereine, et la trouvait profondément sécurisante.

Peu après le début du concert, elle se félicita qu'ils aient gagné les gradins supérieurs, plus calmes. Plus bas, là où ils se trouvaient précédemment, s'étaient rassemblés les gens les plus jeunes, qui s'étaient mis debout et trépignaient d'enthousiasme au rythme de la musique. Elle se détendit et prit un immense plaisir à entendre des chansons qu'elle connaissait souvent par cœur. De temps à autre, elle fredonnait la mélodie, les yeux fermés, sous le regard amusé de Cameron...

A la fin du concert, cependant, il fallut entreprendre de regagner l'extérieur de l'enceinte, ce qui s'avérait beaucoup plus difficile qu'au début. Les gens étaient arrivés par petits groupes, mais ils ressortaient en un flot continu qui évoquait à Joey un monstrueux exode. Il leur fallut des siècles pour redescendre les gradins. Cameron avait posé sur elle une main rassurante et, pour distraire son esprit de la foule, lui parlait sans cesse.

— Ne te sens-tu pas affamée ? demanda-t-il après avoir fait divers commentaires sur la prestation des artistes. Si tu le souhaites, nous pouvons dîner au restaurant…

Elle ne put s'empêcher de rire.

— J'ai dévoré il y a deux heures à peine, et je n'ai vraiment pas faim, je t'assure ! Je pensais juste prendre des biscuits en rentrant, avec du lait chaud. Comme lorsque nous étions adolescents et que nous rentrions du cinéma…

— Je m'en souviens. Ta mère avait même la gentillesse de nous laisser la boîte toute prête sur la table, et nous passions des heures à deviser dans le salon.

— Ou à jouer aux dominos ! renchérit-elle.

— Oui. Tu trichais souvent…

— Jamais ! protesta-t-elle en riant. C'est toi, au contraire, qui…

— Admettons que nous trichions tous les deux, conclut-il. Pas autant, cependant, que l'un ou l'autre de tes frères lorsqu'ils venaient nous rejoindre…

Joey ouvrit la bouche pour répliquer, et, soudain, s'immobilisa sur place. Tout en bavardant, elle n'avait pas fait attention où ils allaient, et se rendait compte à présent, en levant les yeux, qu'il fallait passer pour sortir dans une sorte de tunnel sombre et étroit.

La foule s'y engouffrait lentement, comme une sorte de masse mouvante… elle sentit la panique la submerger, irrationnellement, dévastatrice. Une sueur glacée perla à ses tempes. Jamais elle ne pourrait pénétrer dans l'obscur passage. Jamais ! Aucune force au monde ne pourrait l'y contraindre.

Elle humecta ses lèvres desséchées ; son cœur battait de façon désordonnée dans sa poitrine. Son hésitation lui avait paru durer des siècles, mais elle n'avait dû se pétrifier que quelques secondes à peine, car Cameron l'avait serrée contre lui et elle s'était remise à marcher, comme une automate.

Elle ferma les yeux pour se laisser guider, terrifiée. Il régnait sous la voûte une chaleur suffocante ; elle sentait les corps de ses voisins pressés contre elle, vibrants, menaçants comme une présence anonyme et visqueuse... Elle aurait voulu crier, mais aucun son ne sortait de ses lèvres ; bouger, courir comme une fiolle vers la sortie, mais il était impossible d'esquisser le moindre mouvement. Il fallait juste suivre ce flux humain, en retenant son souffle dans un air raréfié...

Elle se rendit compte que Cameron lui parlait, mais ne comprit pas un seul de ses mots. Elle se pressa contre lui et ne rouvrit les yeux qu'en sentant sur son visage la brise fraîche de la nuit.

Sitôt le tunnel franchi, la foule commença à se disperser, et son compagnon l'entraîna rapidement vers la voiture. Elle tremblait de tous ses membres.

— Quelle belle soirée, murmura Cameron en l'étreignant avec douceur. Sens comme cela embaume...

Elle ne répondit pas ; sa gorge restait encore totalement bloquée. Il remarqua qu'elle frissonnait, à la fois de froid et d'émotion, et lui drapa son blouson autour des épaules. Elle leva vers lui un regard de gratitude, en serrant contre elle les pans du chaud vêtement.

— Te sens-tu mieux ? demanda-t-il en souriant.

Sans qu'elle eût formulé le moindre mot, il avait compris son désarroi. Par sa simple présence, ses quelques paroles anodines, il avait réussi à lui faire franchir l'obstacle et à lui éviter de sombrer dans l'affolement. Elle n'avait jamais parlé à personne de cette claustrophobie, de cette terrible faiblesse qui la saisissait dans la foule ou l'obscurité ; cependant, d'instinct, il l'avait devinée, et loin de lui en tenir rigueur, l'aidait à la surmonter... Elle débordait de reconnaissance et, en cet instant, l'aimait plus qu'elle ne l'avait jamais aimé.

Cet amour, d'ailleurs, prenait soudain une nouvelle dimension, s'ouvrait à toute une gamme d'émotions dont elle n'avait jamais auparavant soupçonné l'existence. Cela évoquait l'émergence, enfin réalisée, d'un sentiment en germe à l'intérieur d'elle-même depuis des années, comme ces arbres dont les fleurs ne s'épanouissent qu'après de longs mois. Elle l'aimait avec la passion, l'euphorie du désir, mais aussi avec un besoin plus profond, celui d'une présence sans laquelle elle ne se sentait pas vraiment elle-même. Il offrait un point d'ancrage, un rempart contre la jungle tourmentée du monde, que personne d'autre n'aurait pu assurer.

Seulement, cette certitude s'accompagnait d'une nouvelle responsabilité, à laquelle elle médita tout au long du trajet. Cameron représentait pour elle tout ce à quoi elle tenait : la sécurité, la stabilité... Mais elle-même, que pouvait-elle lui apporter ? C'était toujours lui qui donnait, qui la relevait avec sollicitude lorsqu'elle trébuchait, et elle avait l'impression de ne rien retourner en contrepartie. Au contraire, elle faisait irruption dans son existence, la perturbait, exigeait des témoignages et des promesses sans en fournir aucune de son côté... Il voulait la permanence, elle ne faisait qu'apparaître et disparaître ; il souhaitait la sérénité, elle introduisait dans sa vie un élément de désordre. Il appréciait par-dessus tout la simplicité, la clarté, et elle ne suscitait que des complications. Sans parler du fait qu'elle associait son nom, aux yeux de tous, à celui d'une femme qui avait été mêlée à un tragique scandale...

Il lui avait fallu vingt-sept ans pour se rendre compte qu'elle détruisait lentement, avec une totale inconscience, le seul homme qu'elle eût jamais aimé.

Les lumières de Dallas scintillaient sur le velours du ciel nocturne, la haute silhouette massive des buildings. Cameron, les mains calmement posées sur le volant, semblait plus paisible que jamais, solide comme un roc.

— Tu as meilleure mine, murmura-t-il en lui jetant un bref coup d'œil.

Elle lui sourit avec tendresse. Avec tact, il n'avait pas évoqué l'incident durant la crise, mais l'invitait à présent à en parler, pour la soulager.

— Je... j'ignore quelle est la cause du phénomène, déclara-t-elle. De cette crainte absurde que j'ai des foules...

Déjà, reconnaître et admettre l'existence du problème diminuait son importance.

— J'y ai réfléchi un nombre incalculable de fois, sans réussir à percer le mystère. Je n'ai pourtant pas eu une enfance particulièrement traumatisée ! sourit-elle.

Cameron haussa les épaules.

— Pourquoi chercher midi à quatorze heures ? Tout le monde a une phobie, cela paraît extrêmement classique. Moi-même, je souffre de vertige...

Joey lui adressa un regard éberlué.

— De vertige ? Vraiment ?

— Mais oui ! Au dernier barreau d'une échelle, je commence déjà à me sentir très mal...

Elle resta pensive. Elle l'avait toujours cru... invincible, en quelque sorte, et s'étonnait de lui trouver les mêmes craintes qu'au commun des mortels.

— Pourtant, tu as ton brevet de pilote, n'est-ce pas ? Et tu n'hésites pas à monter en avion...

Il se mit à rire.

— En avion, bien à l'abri derrière les hublots, cela passe encore. Mais je dois dire qu'il me faut un immense effort de volonté pour remplacer Burt, comme cela se produit parfois, aux commandes d'un hélicoptère... A présent, tu connais mon point faible. Ne l'exploite pas trop !

Malgré son ton léger, elle prit sa remarque au sérieux.

— As-tu réellement l'impression que... que j'ai tendance à t'exploiter, Cameron ?

Il cilla, comme étonné par l'étrangeté de la question, puis lui caressa la main.

— Presque jamais ! Rassure-toi, plaisanta-t-il.

Une réponse sans doute plus sincère qu'il ne le croyait lui-même, elle le savait...

Ils étaient arrivés à l'appartement. Cameron alluma les lampes, créant une lumière douce, et questionna :

— Où caches-tu tes fameux biscuits, Joey ?

Elle hésita un instant. S'ils s'attablaient à présent, comme autrefois, ne serait-ce pas encore une sorte de fuite ? Un moyen de se replonger dans le passé pour échapper au présent ? Elle avait suffisamment joué ce jeu dangereux pour la journée. A présent, elle souhaitait se retrouver seule pour réfléchir à l'évolution de ses sentiments.

— En fait… je n'ai pas faim, si cela ne t'ennuie pas, répondit-elle. Il est tard et… je crois que je vais sur-le-champ me mettre au lit.

Il parut interloqué, puis fronça les sourcils ; comme s'il percevait de manière confuse ce qu'elle avait en tête. Elle crut un instant qu'il allait l'interroger avec franchise, selon son habitude, mais il se borna à rétorquer en souriant :

— Si tu préfères… je comprends très bien. La soirée a été un peu fatigante.

Elle lui rendit son sourire, et se dirigea vers la chambre, mais elle s'arrêta à mi-chemin et fit volte-face.

— Cameron…

Il s'était penché pour mettre en marche le téléviseur et se redressa en haussant les sourcils.

— Je… je voulais te remercier pour ce soir, poursuivit-elle. Et te rappeler que… je t'ai toujours aimé…

Puis, prestement, elle tourna les talons et disparut ; il ne devait pas voir l'émotion qui lui embuait les yeux. Sa remarque n'avait rien d'une requête, d'une nouvelle exigence ; elle la lui faisait en toute gratuité, sans rien vouloir demander en échange…

Machinalement, elle prit ses vêtements de nuit et passa dans la salle de bains pour se préparer. Après avoir revêtu sa chemise de nuit et son peignoir, elle entreprit de se brosser les cheveux, mais ses gestes étaient ralentis, presque malhabiles. Elle n'arrivait plus à penser avec clarté. Un tourbillon d'émotions la traversait, où ne surnageait qu'un seul mot, résonnant avec obstination : *Cameron…*

Elle retourna dans la chambre et s'apprêtait à tirer les couvertures lorsqu'on frappa à sa porte.

Elle se redressa avec lenteur, médusée. C'était presque comme si, à force de songer à lui avec une telle intensité, elle l'avait attirée de façon mystérieuse, presque magique... Il lui fallut quelques secondes pour retrouver la parole, puis elle lança d'une voix rauque :

— Entrez...

Il ouvrit la porte. Il paraissait aussi serein qu'à l'ordinaire, mais elle croyait percevoir — ou bien n'était-ce qu'un effet de son imagination ? — une sorte de tension sous-jacente, une attente.

Elle avait ôté son peignoir et n'était plus vêtue que d'une longue tunique de mousseline transparente, profondément décolletée, qui révélait les moindres détails de sa silhouette. Cameron la parcourut d'un regard admiratif, rehaussé d'une flamme de désir. Elle sentit ses joues s'empourprer et, impulsivement, s'assit au bord du lit, pliant une jambe sous elle, comme pour adopter la pose la plus naturelle et la moins provocante possible.

— Pardonne-moi de te déranger, déclara-t-il négligemment, en s'appuyant au chambranle de la porte. Mais j'avais oublié de te faire part de mes projets... Aimerais-tu te rendre à la campagne, demain ?

Ainsi, il était juste venu lui poser une question banale... Chassant sa vague déception, elle répondit avec gaieté :

— Bien sûr ! Où donc ?

— Cela, c'est une surprise. Mais il faudra te lever tôt... vers six heures.

Elle feignit de pousser un cri d'effroi.

— Mon Dieu ! J'espère du moins que cela en vaut la peine. Tu prends des mines bien énigmatiques...

— Fais-moi confiance, assura-t-il.

Son regard s'adoucit, se fit plus tendre. Comme

hypnotisée, elle plongea ses yeux dans les siens. Une sorte d'aura les enveloppait, leurs deux souffles adoptaient un rythme similaire, légèrement haletant. Un mélange confus de désir et de prudence, de crainte et d'anticipation, les submergeait...

— Tu portes un déshabillé très séduisant, souffla-t-il en s'avançant d'un pas.

A cet instant précis, la sonnerie du téléphone retentit, et l'instant privilégié, comme tant d'autres, s'évapora avec la fragilité d'une bulle de savon.

Cameron hésita une fraction de seconde, puis s'approcha de la table de chevet et décrocha l'appareil. Sa voix ne trahissait pas la moindre émotion.

Joey, serrant les poings malgré elle, s'écarta pour lui laisser la place de s'asseoir au bord du lit sans qu'il la touche. Elle s'efforçait de ne pas penser à ce qui aurait pu se produire, à cette occasion encore une fois manquée. Il lui fallait apprendre à accepter la dure réalité des faits...

— En somme, tout s'est bien passé, disait Cameron. J'en suis ravi...

Joey se mordit les lèvres. Ce n'était pas, comme elle l'avait espéré, un faux numéro. L'interruption risquait de s'avérer trop longue pour qu'il y eût une chance de... Mais il ne fallait pas y songer.

— En tout cas, félicitations, poursuivait Cameron. Vous ne vous y attendiez pas de sitôt, certes, mais...

Elle tendit l'oreille. N'était-ce pas Burt ? Un long moment, son compagnon écouta les nombreux détails fournis par son interlocuteur, puis il reprit :

— Dis-lui que nous viendrons la voir très vite, bien entendu... Avis s'occupe des petits, j'imagine. Oui... A bientôt.

Il raccrocha et se tourna vers elle. Discernait-elle, dans son sourire, une ombre de regret ? Ou bien au contraire se félicitait-il que le monde extérieur ait fait irruption au moment où il allait se laisser entraîner sans le vouloir ? Elle aurait été incapable de le dire.

— C'est au sujet de Mary, n'est-ce pas ? murmura-t-elle.

Il hocha la tête, et son sourire cette fois n'exprimait qu'une joie profonde.

— Oui. L'accouchement, Dieu merci, s'est déroulé sans la moindre anicroche.

Joey, à présent, se sentait elle aussi émue.

— Est-ce... un garçon, à nouveau ?

— Non. C'est une fille.

Chapitre 9

Joey remonta sur son nez ses lunettes de soleil, se pencha à la fenêtre du véhicule et s'écria :

— Tous ces arbres ! Je n'avais pas vu de forêt aussi dense depuis longtemps... Ce sont des pacaniers, n'est-ce pas ?

— C'est cela. Et la récolte du fruit — la noix de pécan — ne va pas tarder à commencer.

Cameron négocia un virage, sur la route boueuse, avec la jeep qu'il avait empruntée au terrain d'aviation.

— Savais-tu, reprit-il, que le Texas est le plus gros producteur de noix de pécan du monde entier ?

— Non ! avoua-t-elle, je l'ignorais.

Le fait la surprenait. Aux alentours de Dallas, comme dans sa propre région, s'étendaient des terres arides, brûlées de soleil, et elle s'émerveillait de trouver un immense verger verdoyant.

Des tracteurs, chargés d'ouvriers agricoles, les dépassaient de temps à autre, et saluaient gaiement les occupants de la jeep. Cameron leur répondait d'un coup de klaxon allègre.

Ils étaient partis à l'aube, comme prévu. Joey avait somnolé durant tout le début du trajet et venait à peine de s'éveiller. Un soleil radieux inondait la campagne, et elle humait avec plaisir le brise fraîche qui filtrait par la fenêtre ouverte.

Pas un seul instant, son compagnon ne lui avait laissé deviner où ils se rendaient. Elle savait seulement qu'il avait chargé le coffre de provisions, et qu'ils passeraient probablement la journée à l'extérieur...

Mais elle se sentait de plus en plus intriguée. La route, à présent, n'était qu'un chemin de terre, creusé de profondes ornières, qui s'enfonçait entre les arbres et semblait ne mener nulle part.

— Est-ce donc cela que tu voulais me faire visiter ? questionna-t-elle. Une plantation de pacaniers ?

— Presque ! plaisanta-t-il. Tu brûles...

Il se montrait, ce matin-là, d'excellente humeur. Dès le petit déjeuner, il avait commencé à chanter d'une belle voix de basse plusieurs des mélodies qu'ils avaient entendues la veille, et à présent il sifflotait en tapotant le volant. Là, au beau milieu de la nature ensoleillée, il semblait aussi gai qu'un collégien, comme s'il avait laissé derrière la porte fermée de l'appartement tous ses soucis et toutes ses préoccupations. Elle ne l'avait pas vu aussi insouciant depuis fort longtemps.

— N'y aurait-il pas, par hasard, un étang à proximité ? questionna-t-elle avec un demi-sourire.

Il lui jeta un coup d'œil intrigué.

— Pourquoi demandes-tu cela ?

— Parce que je me souviens de la dernière fois où je t'ai vu heureux comme aujourd'hui, il y a longtemps... Tu avais tes cannes à pêche sur le dos et tu partais taquiner la truite !

Il éclata de rire et lui pinça la joue avec tendresse, le regard pétillant.

— Pourquoi ne serais-je pas heureux ? Mon frère vient de mettre au monde une ravissante petite fille...

— Avec l'aide de son épouse ! coupa-t-elle un peu sèchement.

Il ignora l'interruption.

— ... C'est une journée magnifique, je suis accompagné d'une très jolie femme...

Il lui jeta un nouveau coup d'œil et conclut :

— ... En outre, la météo ne prévoit jamais de pluie et ma récolte sera donc plus abondante que jamais !

Joey sursauta et la fixa, stupéfaite.

— Ta... récolte ? Veux-tu dire que cette... cette plantation t'appartient ?

Sans répondre, il gara la jeep sous un arbre, et sauta à terre, le sourire aux lèvres.

— Suis-moi ! Je vais te montrer quelque chose.

Ils s'enfoncèrent sous les arbres et débouchèrent dans une vaste clairière. Des bulldozers avaient commencé à terrasser et égaliser le sol ; des piles de briques et de poutres s'entassaient dans un coin et, à ras de terre, des pitons de bois délimitaient un immense rectangle. D'un côté, la plantation prenait fin et l'on avait vue sur un infini de collines...

La jeune femme fronça les sourcils.

— Cela... cela ressemble à...

— Aux fondations d'une maison, compléta-t-il. La mienne.

Il lui passa le bras sur les épaules et l'entraîna.

— Je me suis associé avec l'exploitant de la plantation, il y a quelques années, expliqua-t-il. Et les affaires, je dois le dire, ont suffisamment bien marché pour que je puisse acquérir à mon tour une portion de terrain tout à fait honorable. Et à la suite de cette récolte, je pourrai probablement racheter encore plusieurs hectares à mon partenaire.

Avec une note de fierté dans la voix, il souligna :

— A la même époque, l'année prochaine, je serai « gentleman-farmer » et j'inonderai tous les Etats-Unis de ma production... Qu'en dis-tu ?

Joey se sentait à la fois médusée — elle s'était si peu attendue à cela !-, submergée d'admiration, et, en même temps, ce projet lui semblait l'aboutissement logique d'un itinéraire. Cameron, le terrien solide, le constructeur, avide d'action et de grands espaces... longtemps elle s'était demandé pourquoi il louait un petit appartement au lieu de posséder une véritable demeure, pourquoi il restreignait son style de vie alors qu'il gagnait dans son métier autant, en un mois, qu'ellemême en une année. A présent, elle tenait l'explication. Elle retrouvait le Cameron qu'elle avait connu, mettant en chantier de vastes plans à la mesure de ses ambitions...

— C'est merveilleux, Cameron, murmura-t-elle, sincèrement émue. Cela te convient à la perfection.

— A présent, plaisanta-t-il, visitons l'intérieur. Tout d'abord, le salon...

Par jeu, elle fit mine de s'essuyer les pieds avec soin sur un paillasson imaginaire et enjamba derrière lui la corde qui courait d'un piton à l'autre. Son compagnon, avec de grands gestes, faisait surgir le décor, imitant avec ironie l'emphase d'un gardien de musée.

— Ici, à droite, se dressera une cheminée ultramoderne, que j'ai moi-même dessinée. A gauche, un escalier en spirale qui mène à l'étage : trois chambres à coucher et une bibliothèque. Tourne-toi, et admire la vue sur laquelle donnera l'immense baie vitrée...

Elle se mit à rire puis, pivotant, s'arrêta et retint son souffle. De ce côté-là, au-delà des arbres, une pente douce s'ouvrait sur une portion de désert aux extraordinaires teintes mauves et pourpres, piqué çà et là d'arbustes au feuillage argenté, oscillant doucement dans la brise sous le ciel d'un bleu de cobalt. Cette beauté à la fois grandiose et simple d'une nature sauvage, à peine apprivoisée, la prenait à la gorge. Serrés l'un contre l'autre, silencieux, ils communièrent dans un émerveillement magique, semblable à la promesse d'un rêve...

— Oh, Cameron, balbutia-t-elle enfin en se tournant vers lui, les yeux brillants. Tu... tu ne peux savoir comme j'aime cet endroit...

Il l'étreignit avec une tendresse mêlée de passion, plongea son regard dans le sien et posa ses lèvres sur les siennes. Elles s'y attardèrent sans hâte. N'avaient-ils pas, semblait-il penser, toute l'existence devant eux ?

Elle ferma les yeux, transportée comme si son corps allait se dissoudre et ne faire plus qu'un avec l'univers entier. Toute son âme, toutes ses sensations paraissaient centrées autour d'une seule certitude ; le contact des lèvres de Cameron. Avec un énigmatique pouvoir, il recréait l'éternité à partir d'un simple baiser...

Sa caresse se fit plus ardente, et elle sentit le sang frémir dans ses veines, une douce pulsation vibrer contre ses tempes. Il la tenait contre lui comme s'il voulait la fondre en lui, se l'incorporer...

Il lui fallut un moment pour se rendre compte qu'il ne l'embrassait plus et reprendre conscience du soleil sur sa peau, de la brise qui faisait jouer sa chevelure. Elle ouvrit les yeux. Cameron avait entouré son visage de ses mains et l'observait avec une infinie tendresse, mêlée d'un désir fiévreux qu'il ne se souciait pas de dissimuler. Mais elle lisait aussi dans son regard la sérénité de celui qui, sûr de son but, sait prendre son temps pour y parvenir. Il n'avait pas besoin de forcer le rythme de la vie. Il le suivait avec calme, certain que les choses finissaient toujours, tôt ou tard, par se plier à la solidarité sans failles de sa volonté et de sa patience.

Il laissa tomber ses mains et il glissa un bras autour de sa taille.

— Viens voir les autres pièces !

Ils déambulèrent entre des murs imaginaires. Joey, à présent, ne se privait pas de donner des suggestions, de percer des fenêtres supplémentaires. Elle élargit la taille de plusieurs pièces et, pour faire bonne mesure, ajouta négligemment une piscine et un patio intérieur. Ils riaient aux éclats, épanouis et insouciants...

Au bout d'un moment, ils sortirent de la « maison » et poursuivirent leur flânerie, main dans la main, le long d'un sentier. Soudain, au détour de la pente, Joey aperçut une étendue bleutée, miroitante sous le soleil.

Elle poussa un cri de joie.

— Tu pourras reprendre ta vieille passion, pour la pêche, Cameron ! Du moins, si cet étang fait partie de ta propriété...

— Mais c'est le cas, chère enfant. Je suis actuellement l'heureux possesseur, outre la plantation, de trente-sept hectares de terrain vierge. D'ailleurs, j'aimerais aussi avoir des chevaux...

Il se planta sur une sorte de promontoire pour admirer le paysage. Joey l'observa à la dérobée ; les poings sur les hanches, un sourire rêveur sur son visage tanné, aux traits fermes, il semblait en totale harmonie avec la nature environnante. Son profil se détachait contre le ciel, comme une image d'audace et de liberté, et elle ressentit une sorte d'étrange exaltation.

Lorsque, après avoir fait le tour de tout le domaine, ils regagnèrent la jeep pour se restaurer, le soleil pointait à son zénith. Malgré leur longue marche, ils ne ressentaient pas la moindre lassitude ; Joey avait l'impression que ses pieds touchaient à peine le sol, tant elle se sentait soulevée d'enthousiasme.

Cameron sortit du coffre le panier à provisions et étala une couverture sur le sol. La bière, conservée dans un bac à glace, était fraîche, et les sandwiches qu'il avait lui-même préparés à l'aube délicieux.

— Je passe ici presque tous mes week-ends, expliqua-t-il.

Il s'était allongé dans l'herbe et, appuyé sur un coude, jouait avec le bouchon d'une bouteille de bière. Puis une pensée lui traversa l'esprit. Un sourire d'excuses aux lèvres, il ajouta :

— Du moins, je venais souvent avant que...

— Avant que je n'arrive ? compléta-t-elle, sans la moindre trace d'amertume.

Elle lui passa un second sandwich et ajouta, mue par la curiosité :

— Pourquoi ne m'as-tu pas parlé plus tôt de cet endroit, Cameron ?

Il baissa les yeux.

— Je... je ne sais pas très bien. Tu avais tes préoccupations personnelles, et je ne pensais pas que tu resterais assez longtemps pour...

Il n'acheva pas sa phrase et mordit dans son sandwich en contemplant le ciel.

Elle s'efforça de ne pas se sentir blessée. Il avait eu raison... Elle n'avait jamais séjourné sur place assez de temps pour qu'il juge bon de partager avec elle les choses qui comptaient vraiment dans son existence. Combien de ses projets, de ses expériences, avait-elle manqués simplement parce qu'elle repartait toujours trop tôt ? Beaucoup, sans doute. Et cette pensée la déprimait, lui donnait un étrange sentiment de vide... Y avait-il encore moyen de rattraper le temps perdu ? N'était-il pas trop tard pour... mettre les bouchées doubles, en quelque sorte, et le connaître enfin vraiment dans ses passions et ses désirs les plus secrets ?

Mais elle se refusait à laisser sa tristesse passagère obscurcir une journée aussi idéale. D'un ton volontairement détendu, elle questionna :

— Et... quand songes-tu emménager ici ?

— Au printemps qui vient. Du moins, je l'espère... Je voudrais finir au moins le gros-œuvre avant l'arrivée du mauvais temps. Dès janvier, je serai seul gérant en titre de la plantation, et il me faudra être très souvent sur le terrain.

Elle hocha la tête.

— Que pense Burt de ton projet ?

— Il m'approuve entièrement !

Il cligna de l'œil et ajouta :

— Pourrait-il de toute façon élever la moindre critique contre son frère aîné ?

— Certes non ! admit-elle en riant. Mais il s'apprête à perdre son associé-juriste-mécanicien-pilote en second...

Cameron éclata de rire à son tour. Tout en se versant de la bière, il lui retraça la procédure complexe qui lui permettrait de conserver ses parts dans la compagnie tout en laissant le contrôle de la gérance à Burt.

Elle fit un effort sincère pour suivre ce sérieux

discours mais ses yeux, sous la chaude caresse du soleil, se fermaient malgré elle. Avec un soupir d'aise, elle s'étendit sur la couverture, nicha son bras sous sa joue et lui sourit.

— Tu es un administrateur hors pair, apparemment. J'ignorais que tu t'y connaissais aussi bien en matière juridique. Je... il me semble que j'apprends beaucoup de choses sur toi, ces derniers jours ! Comme, par exemple...

Il l'observa avec attention. Plus que jamais, elle ressemblait à une délicieuse figurine de porcelaine. Son teint opalescent, au soleil, prenait le velouté d'une peau de pêche, et ses cheveux baignés de soleil étincelaient en mille paillettes mordorées. A son tour, il se rendit soudain compte qu'elle aussi paraissait en parfaite harmonie avec le paysage environnant, comme une sorte de divinité sylvestre jaillie brusquement d'un fourré... C'était cette image d'elle, par-dessus tout, qu'il voulait garder.

— Comme quoi ? questionna-t-il avec douceur.

— Eh bien...

Elle fronça les sourcils pour réfléchir.

— Je sais, désormais, que... tu souffres de vertige, que tu as pour ambition de diriger une plantation, que tu t'y connais sur le bout des doigts en finance et en gestion...

— Quel portrait flatteur ! rétorqua-t-il en riant.

Mais il la contemplait, le regard brillant, comme s'il pensait à autre chose et n'avait pas prêté attention à ses paroles.

Elle se tut ; ils restèrent sans parler un long moment. Seuls le bruissement de la brise, dans les feuillages, et le grésillement des insectes rompaient le silence. Le regard de Cameron se fit plus perçant, plus pensif ; il semblait lire à travers elle, en énonçant pour lui-même de muettes considérations. Légèrement mal à l'aise, elle se redressa, sans pouvoir détacher ses yeux des siens.

— Moi aussi, je crois avoir découvert certaines choses à ton sujet, murmura-t-il enfin.

Elle haussa les sourcils, en se demandant si elle avait réellement envie d'en savoir plus. D'une voix hésitante, elle s'enquit :

— Lesquelles ?

Il examina d'un air songeur le dessin de la couverture, puis lui jeta un bref coup d'œil et détourna à nouveau la tête pour fixer l'horizon.

— Pour commencer, il y a... ce que tu m'as avoué hier soir. Je... jusqu'à présent, je l'ignorais.

Une boule serrait la gorge de Joey. Ne se trompait-il pas ? Etait-ce vraiment la première fois qu'elle lui disait l'aimer ? Probablement. Avec son insouciance caractéristique des années précédentes, elle avait dû juger inutile de s'exprimer de manière explicite.

— J'ai lu un jour la phrase suivante, poursuivit Cameron, dont je me suis toujours souvenu : « La différence entre un ami et un amant, c'est que lorsque le premier dit « je t'aime », on n'a pas besoin de lui demander ce qu'il entend par là ».

Elle tressaillit, esquissa le geste de tendre la main vers lui, mais il ajouta sans lui laisser le temps de parler :

— Je ne sollicite aucune réponse, Joey. Ma vie, pour l'instant, souffre d'une surabondance de définitions. Sans doute dois-je accepter d'y intégrer... un peu moins de rigidité, un peu plus de « flou »...

La jeune femme, cependant, n'entendait pas laisser échapper à nouveau une occasion d'éclaircissements.

— Quel sens voudrais-tu qu'ait ma phrase, Cameron ? questionna-t-elle avec douceur.

Il médita un instant, les yeux toujours fixés sur la ligne des collines.

— A vrai dire, je ne sais pas, admit-il.

Elle aurait voulu se précipiter vers lui, prendre son visage dans ses mains, l'obliger à révéler par son regard ce qu'il se refusait à formuler. Elle aurait voulu qu'il ose, enfin, exiger à haute et intelligible voix ce qu'il attendait d'elle, pour avoir elle-même la joie de lui répondre sans détours : « Oui, Cameron, je suis à toi... »

Mais c'était impossible. Jamais elle ne le contraindrait à quoi que ce soit. Pour résister à la tentation de le toucher, elle rassembla ses genoux et croisa les bras autour d'eux.

Elle se forçait à demeurer immobile, cependant, la tension montait en elle, muscle après muscle, inéluctable. Son cœur battait de façon désordonnée, tel un petit animal fragile, prisonnier dans une cage et saisi d'affolement.

Cameron, perdu dans ses pensées, restait muet. Le silence semblait peser à chaque instant de plus en plus lourd... Finalement, n'y tenant plus, elle s'enquit :

— A quoi songes-tu donc ?

Il sourit, mais d'un sourire qui n'était destiné qu'à lui-même, qui ne révélait rien de sa secrète rêverie. Pourquoi ne la partageait-il pas avec elle ?

— A quoi je songe ? répéta-t-il avec nonchalance. A cette minute précise ?

— Oui ! s'efforça-t-elle de plaisanter. Je requiers des aveux complets !

— Eh bien, je me souvenais quels bons moments nous avons passés, avant...

Elle crut qu'il allait préciser, compléter sa phrase, mais elle fut déçue :

— Avant ! conclut-il simplement.

Cependant, après quelques secondes, il reprit, les yeux dans le vague :

— Je me demandais si ta peau est toujours aussi douce... si je retrouverais toujours le même parfum dans ta nuque, où il me plaisait tant... Je songeais que je mourrais d'envie de connaître à nouveau ton corps, tout en me demandant pourquoi je me l'interdisais... Et, pour être franc, je n'ai pas su répondre.

Sa voix s'était assourdie. Subitement, il se rapprocha, dénoua ses mains qu'elle tenait toujours croisées sur ses genoux, et, penché sur elle, la soutint en glissant son bras sous ses épaules, le regard rivé au sien.

— Mes paroles... te contrarient-elles ? souffla-t-il.

Elle secoua la tête, incapable d'articuler, perdue déjà dans l'émerveillement qui la saisissait chaque fois qu'il la touchait.

Avec une lenteur infinie, il l'allongea, et se mit à explorer en subtiles caresses, à peine effleurées, les courbes de son corps encore dissimulées sous le fin tissu de sa blouse.

Cameron faisait preuve dans sa technique amoureuse de la même maîtrise sereine, de la même délicatesse que dans les moindres entreprises de son existence. Comme dans un rêve, Joey devina qu'il défaisait un à un les boutons de son chemisier et, soudain, elle sentit sur sa peau nue une chaleur dont elle n'aurait su dire si elle provenait du soleil ou du corps souple étendu contre le sien.

La douceur initiale, sans hâte, fit bientôt place à un désir plus aigu, avide et fiévreux chez l'un comme chez l'autre. Le sang courait plus vite dans leurs veines, chaque sensation prenait une extraordinaire vivacité. Leurs corps s'entrelacèrent, se mêlèrent, fusionnèrent, oublieux soudain de toutes les hésitations antérieures. Les seins dressés, offerte, Joey se livrait avec un bonheur infini, à peine consciente de sombrer dans une extase qui lui semblait aussi neuve que la toute première fois...

Agrippée, lovée à lui, elle sentit son souffle se faire aussi haletant que le sien, devina à l'urgence de ses gestes qu'ils allaient communier dans une union parfaite, à la fois brûlante et rafraîchissante, comme l'arrivée dans une oasis après la traversée d'un long désert ou la délicieuse sensation de l'eau fraîche lorsque l'on peut enfin assouvir sa soif.

Cameron avait voulu l'aimer comme il l'avait toujours fait, avec une douceur mesurée, une tendresse soucieuse de ne jamais perdre le contrôle de son désir. Cependant, sous l'empire de la passion, il plongea malgré lui dans une ivresse dont la maîtrise lui échappait. Au moment ultime, il entendait à peine le léger gémissement de sa compagne et, submergé par l'émotion, enfouit son visage dans ses cheveux en murmurant :

— Tu es mienne. Tu seras toujours mienne...

Ces paroles traversèrent l'esprit de la jeune femme comme une lueur radieuse, redoublèrent la joie immense qu'elle ressentait. Une sorte de voile passa devant ses yeux et, un court instant, elle eut l'impression qu'une symphonie majestueuse, pour eux seuls, venait de s'élever du ciel et de la terre.

Comme souvent lorsqu'elle avait vécu des expériences particulièrement intenses, elle devait se rendre compte par la suite, avec surprise, qu'elle ne se souvenait pas des détails de ce moment magique. Elle ne se rappelait que les sensations, les couleurs, la fièvre exigeante et dévastatrice comme un fleuve qui les avait emportés sur des rivages à la fois mystérieux et fascinants. Au lieu de s'atténuer dans sa mémoire, les images de cet après-midi semblaient à chaque fois plus vivaces, comme nourries d'un feu qui se renouvelait éternellement.

Peu à peu, ils reprirent conscience du monde qui les entourait, du soleil, des quelques nuages minuscules qui s'effilochaient à l'horizon. Joey sentait contre la sienne la peau de Cameron, souple et fraîche, elle percevait sa respiration encore un peu rauque. Jamais elle n'avait savouré à ce point sa présence...

Lui-même, soudain immobile, avait l'impression que ce qui venait de se passer obnubilait complètement son esprit. Une profonde anxiété l'étreignait. N'était-il pas allé, en fait, contre les désirs de Joey ? Ne l'avait-il pas forcée à accomplir un acte qu'en fait elle ne souhaitait pas ? Pour la seule fois de sa vie, avec une femme, il venait de perdre tout contrôle de lui-même, et s'en repentait amèrement. Il avait agi comme possédé par une force surnaturelle, irrépressible. Peut-être l'avait-il blessée, choquée, perdant ainsi tout espoir de la conquérir enfin, de la faire sienne à jamais comme c'était son vœu le plus cher...

Il se mordit les lèvres, sans oser la regarder, envahi d'une terrible culpabilité. Quelques jours plus tôt, songea-t-il avec une triste ironie, il l'avait accusée de brader sa sensualité pour parvenir à ses fins. Or ce qu'il venait de faire, sans même s'assurer de son accord, ne valait pas beaucoup mieux... Il l'avait séduite de haute lutte, comme s'il n'y avait pas eu d'autre moyen de la retenir. Il s'était servi de cette redoutable arme masculine — la possession — en toute méconnaissance des hauts principes dont il se targuait d'ordinaire.

Il s'assit, submergé de remords, et saisit ses vêtements.

— Mieux vaut nous rhabiller, balbutia-t-il. Il commence à faire un peu froid.

— Mm... je me sens trop bien pour bouger, chuchota-t-elle, en laissant courir sa main sur son bras.

Il sursauta, surpris, devinant qu'elle souriait au simple son de sa voix. Etait-il possible que... Chassant ses dernières résistances, il se tourna pour la contempler.

Les yeux mi-clos, le visage parfaitement détendu, épanoui, elle semblait plus ravissante, plus vulnérable que jamais. Il avait envie de la protéger, de ramener dans son existence la chaleur, la sécurité, l'insouciance...

Elle ouvrit les paupières et lui sourit à nouveau.

— Je... je me suis montré un peu brusque, murmura-t-il avec humilité. J'espère que tu ne m'en veux pas...

Il fixait sur elle un regard inquiet, comme s'il guettait son pardon. Amusée, elle se redressa et déposa un baiser fugace sur son épaule.

— Tu es tout excusé, taquina-t-elle. A une condition...

A la voir si rayonnante, il se détendit. Elle ne lui en voulait pas... Bien sûr, cela ne voulait rien dire pour l'avenir : tôt ou tard, il se retrouverait confronté à son éternel problème, sa crainte de la voir s'enfuir à nouveau. Il ne la retiendrait pas par le biais de cette cage dorée qu'était la sensualité, il le savait. Mais, pour l'instant, il se sentait immensément soulagé d'avoir pu partager un moment de bonheur avec elle. Pourquoi, après tout, ne savait-il pas apprécier ce qu'elle lui apportait dans le présent ? Il devait accepter ce qu'elle lui donnait, sans exiger plus...

Il glissa son bras autour d'elle, admirant la façon dont le soleil allumait des reflets ambrés dans sa chevelure. Et, d'un ton un peu intimidé, il questionna :

— A condition que ?

— Que nous recommencions dès que nous serons rentrés, souffla-t-elle, lovée contre lui.

Il ne put s'empêcher de rire.

— Voilà une requête qui ne me semble pas trop sévère...

Elle leva les yeux vers lui, extasiée :

— Je t'aime, Cameron. Je voudrais que tu le saches...

Il l'étreignit, la gorge nouée. Comment répondre à cet aveu sans lui offrir, en retour, un amour qui ne l'enchaînerait pas ? Il l'ignorait et, pour l'instant, ne voulait pas y songer.

Chapitre 10

Les deux semaines qui suivirent furent emplies d'un si parfait bonheur que Joey aurait dû se douter que cela ne pouvait pas durer. Elle et Cameron baignaient dans une euphorie émerveillée, où l'enchantement des nuits succédait au ravissement de se retrouver en fin de journée. Aucune ombre ne venait assombrir leur sérénité, et même le monde extérieur se mettait à l'unisson : Joey supportait, et même finissait par savourer, les longues causeries téléphoniques d'Avis Scott ; Burt et Mary adoraient leur nouveau bébé, et la maison de Cameron, dans la plantation, s'élevait à vue d'œil.

Cependant, se disait parfois la jeune femme, amusée, même si au contraire tout était allé fort mal, que la tempête avait dévasté les récoltes et que tous les hélicoptères étaient tombés en panne, ni elle ni Cameron n'y auraient prêté la moindre attention. Le fait d'être amoureux agissait comme une véritable magie...

Tout se déroulait tellement sans le moindre heurt que c'est à peine si elle se sentit surprise lorsque Mme Bernell, de l'agence de placement, lui téléphona pour lui proposer un travail particulièrement intéressant. Bien entendu, l'entretien avec l'employeur s'avéra excellent et lorsqu'elle rentra à l'appartement, elle avait l'impression de marcher sur les nuages.

Il était environ trois heures de l'après-midi. Elle lança son manteau sur le canapé, en chantonnant, et brancha le percolateur pour se préparer un café. Dans deux heures, Cameron reviendrait et...

Elle poussa un petit cri d'étonnement et de joie quand une main se posa sur ses yeux.

— Cameron ! Déjà de retour.

Elle se retourna pour lui sauter au cou et se serra contre lui, les yeux brillants.

— Comment se fait-il que tu aies pu te libérer si tôt ?

— Comme tout chef d'entreprise, je suis libre de mes horaires, expliqua-t-il d'une voix rieuse.

Il l'embrassa sur le bout du nez et ajouta, en dévoilant d'un geste théâtral ce qu'il dissimulait derrière son dos :

— J'ai décidé que je viendrais surprendre la dame de mes pensées avec un bouquet de roses... et une bouteille de champagne.

Ravie, elle le remercia avec effusion, plaça les fleurs odorantes dans un vase de cristal et sortit deux coupes à champagne du buffet.

Cameron, après avoir débouché la bouteille, versa dans les verres le liquide pétillant et doré. Ils s'installèrent sur le canapé et échangèrent un long baiser, les yeux dans les yeux, avec un sourire radieux.

— Je propose un changement dans notre existence, plaisanta Cameron en portant un toast. Des roses tous les jours... et du champagne deux fois par semaine.

Joey eut un rire heureux. Elle avala une gorgée et répliqua, l'air malicieux :

— L'initiative me paraît d'autant plus justifiée... que

nous avons effectivement quelque chose à célébrer. J'ai trouvé du travail !

Une lueur d'inquiétude traversa le regard de Cameron, et elle s'empressa de préciser :

— Ici même, en ville... dans une agence de voyages.

Il parut soulagé et lui caressa la joue.

— Cela devrait te convenir à merveille, s'écria-t-il. De quoi s'agit-il au juste ?

— Eh bien, je dois commencer dans un mois et... quel champagne délicieux ! s'interrompit-elle ? Je n'en ai jamais bu d'aussi bon.

— Une occasion comme celle-ci mérite que l'on choisisse le meilleur !

Elle fit entendre à nouveau son rire cristallin, en se lovant contre lui.

— Tu ne connaissais même pas la nouvelle !

— Chaque journée avec toi est à marquer d'une pierre blanche, murmura-t-il.

Il entreprit de lui embrasser le cou, au risque de renverser le champagne que tous deux tenaient en main, lorsque la sonnerie du téléphone retentit.

Joey, qui était la plus proche de l'appareil, décrocha.

— Joey ! fit la voix sonore d'Avis, dans l'écouteur. J'ai tenté de vous joindre toute la journée !

D'une moue expressive, tout en répondant, la jeune femme obligea Cameron à s'écarter.

— J'ai eu beaucoup à faire en ville, Mme Scott, et je viens juste de rentrer. Que se passe-t-il ?

— C'est affreux, affreux ! Vous rappelez-vous Marshall ? Je vous ai souvent parlé de lui...

Joey fronça les sourcils, essayant de rassembler ses souvenirs sur les nombreux voisins dont la vieille dame l'entretenait avec régularité.

— Marshall ? N'est-ce pas l'ex-mari de Marianne ?

Peu à peu, l'histoire compliquée lui revenait.

— La dernière fois, précisa-t-elle, vous m'aviez dit qu'il réclamait la garde de son fils...

— Justement ! rétorqua Avis, bouleversée. Oh, je n'ose même pas y penser. Il est venu, aujourd'hui, sachant que Marianne serait absente, et a dit à la baby-sitter de rentrer chez elle. Puis il a commencé à rassembler les affaires du bébé... Il voulait le kidnapper, vous rendez-vous compte ? Dieu merci, Marianne est rentrée plus tôt que prévu. Il y a eu une querelle terrible. L'enfant hurlait et sanglotait. Marshall lançait des menaces sinistres... Je vous laisse imaginer l'état de cette pauvre femme !

Cameron, qui s'était rapproché à nouveau, avait glissé sa main sous sa blouse, mais elle le repoussa, prise par les péripéties du drame.

— Bien sûr, continuait Avis, il ignorait qu'elle garde toujours une arme dans son sac depuis qu'elle travaille de nuit. Avec toutes ces agressions, il est bien compréhensible que...

Joey retint sa respiration.

— Vous ne voulez tout de même pas me dire que...

— Si ! répliqua Avis, des larmes dans la voix. Elle a tiré sur lui ! Avec ce pauvre petit qui criait et...

— Mon Dieu ! Mais c'est épouvantable ! Quand cela s'est-il passé ? Quelqu'un a-t-il appelé la police ? balbutia Joey.

— Non. Personne ne sait rien encore. Je me demande ce qui va arriver à ce malheureux enfant...

— Attendez un instant, madame Scott.

Le cœur battant, Joey couvrit le récepteur de la main et se tourna vers son compagnon.

— Cameron, il... il y a eu un horrible accident. Nous devrions...

A son immense surprise, il se borna à lui jeter un regard amusé et lui prit l'appareil des mains.

— C'est moi, maman. Ainsi, Marshall a enfin reçu la leçon qu'il méritait ? Cela n'avait que trop tardé...

Joey l'écoutait, éberluée, horrifiée, incapable de parler.

— Le bébé ? Ne t'inquiète pas trop pour lui. Beaucoup survivent à des événements bien plus éprouvants. Si Marshall s'en sort, il reviendra peut-être à de meilleurs sentiments, et...

Avis l'interrompit longuement, et il reprit :

— A ta place, je ne me ferais pas trop de souci pour elle non plus. Elle a toujours su se sortir des situations les plus délicates. Tu prends tout cela trop à cœur, je te l'ai souvent dit. Avec tes problèmes de tension...

Joey n'en croyait pas ses oreilles. Comme une automate, elle se leva et se mit à arpenter la pièce. Qu'arrivait-il donc à Cameron ?

— Bien ! concluait-il, cela me paraît une sage décision. A présent, je dois te laisser, Joey et moi devons parler de choses sérieuses...

Et, tout en disant cela, il lança un clin d'œil à la jeune femme, comme s'il songeait en fait aux choses les moins sérieuses du monde !

Lorsqu'il raccrocha, et s'approcha d'elle, elle recula, épouvantée.

— Je... je ne comprends pas, bégaya-t-elle. Je suis profondément choquée. Pourquoi ne te rends-tu pas à l'instant sur place. Pourquoi... parles-tu ainsi à ta mère ?

— Il est normal que je mentionne ta présence ici,

feignit-il de s'étonner en l'enlaçant. Dieu sait qu'elle ne l'ignore pas !

Elle se raidit, tentant en vain de l'écarter.

— Je ne faisais pas allusion à cela, Cameron, mais au drame ! Comment peux-tu te montrer aussi indifférent, aussi... cruel ?

Malgré ses efforts pour se dégager, il réussit à lui voler un baiser, puis leva vers elle un regard pétillant de malice.

— Oh, tu songeais au reste ! Je saisis, à présent. Oui, peut-être aurais-je dû me montrer un peu plus compatissant. Mais je le lui ai déjà dit des milliers de fois : si cela la bouleverse autant, après tout, elle n'a qu'à appuyer sur le bouton pour changer de chaîne. Il ne manque pas de programmes distrayants...

— Programmes... répéta mécaniquement Joey, interloquée.

Puis, soudain, la lumière se fit dans son esprit.

— S'agit-il donc de...

Cette fois, Cameron riait franchement.

— Oui, chère petite. D'une série télévisée, aux multiples rebondissements, comme tu as pu le constater.

Elle se passa la main sur le front et retourna s'asseoir, à la fois soulagée et un peu vexée de s'être rendue ridicule. Dire que depuis de nombreuses semaines, elle prêtait une oreille attentive aux faits et gestes de personnages totalement fictifs ! Certes, Avis Scott avait trouvé en elle l'interlocutrice idéale. Toujours prête à donner d'astucieux conseils, à commenter les agissements des uns et des autres... Elle n'arrivait pas encore à y croire.

Avec tendresse, Cameron vint reprendre place à côté d'elle et lui prit la main.

— Ma mère est souvent seule chez elle, dit-il en manière d'excuse. Elle s'ennuie...

Il paraissait craindre qu'elle ne se mette en colère, mais la situation lui parut soudain tellement comique qu'elle éclata de rire. Il joignit son rire au sien et ils s'étreignirent à nouveau.

Ce fut d'abord un jeu, puis, graduellement, la flamme du désir s'éveilla et les emporta...

— Nous dînerons peut-être un peu plus tard, murmura Cameron contre son oreille. Cela t'ennuie-t-il ?

— Pas le moins du monde, souffla-t-elle.

En fait, ils ne devaient pas dîner ce soir-là. La bouteille de champagne se retrouva dans la chambre, entre eux deux, et ils connurent une fois encore l'émerveillement des longues heures partagées, alternant entre les conversations à mi-voix et le silence des caresses. Chacun semblait avide de connaître plus avant, si c'était possible, l'âme et le corps de l'autre, presque comme s'ils devaient faire provision d'un bonheur que le futur risquait de menacer. Comme s'ils savaient, inconsciemment, que la perfection des jours écoulés n'offrait aucune garantie contre les incertitudes de l'avenir...

Au bout d'un long moment, apaisés, ils s'immobilisèrent l'un contre l'autre. Joey avait posé la tête sur la poitrine de Cameron et pouvait sentir les battements réguliers, rassurants, de son cœur. Il laissait courir sur son dos une main légère... Elle aurait pu s'endormir, et pourtant une sorte de vague crainte absurde, celle de perdre ce bonheur si elle sombrait dans le sommeil, la tenait éveillée. La soif qu'elle avait de lui, de sa présence, paraissait insatiable, impossible à assouvir ;

jamais auparavant elle n'avait ressenti une émotion identique.

— Es-tu heureux? questionna-t-elle d'une voix douce, au bout d'un moment.

— J'ai l'impression d'avoir le monde à mes pieds, ma chérie, répondit-il avec conviction.

— Je veux dire... heureux que j'aie trouvé un emploi ?

— Oui. Pour cela aussi, la taquina-t-il en l'embrassant.

Elle se redressa sur un coude, pensive.

— Je... je commençais à craindre de ne jamais réussir à obtenir un travail à Dallas. Que se serait-il passé, dans ce cas-là ? Dans la perspective où... j'aurais dû m'expatrier à nouveau ?

Il hésita une seconde à peine, et répliqua d'un ton calme, peut-être un peu trop contrôlé :

— Eh bien, tu serais partie, voilà tout. Cela paraît logique...

Il parlait au mur d'en face.

Joey sentit une curieuse sensation lui nouer l'estomac. Déception ? Colère devant sa propre impuissance ? Ou bien, tout simplement, la peur ?... ils avaient partagés des moments inoubliables, créé un lien nouveau. Pourquoi l'en écartait-il ? Elle n'aurait jamais cru que cela fasse si mal.

— Je... je n'avais pas envie... chuchota-t-elle. Je n'avais pas envie de quitter Dallas, de te quitter. Je veux rester ici, avec toi, et...

— Chut !

Après lui avoir doucement intimé de se taire, il glissa un bras sous elle pour qu'elle se redresse et vienne appuyer sa tête sur son épaule.

— Tu n'as pas besoin de me dire ces choses-là, Joey, reprit-il. Il n'y a jamais eu entre nous ni promesses, ni engagements, et cela peut très bien continuer. En aucun cas je ne te retiendrai si la vie t'appelle ailleurs.

Des larmes embuaient les yeux de la jeune femme ; elle se nicha contre lui pour les dissimuler. Malgré tout ce qui s'était passé, il ne voulait toujours pas d'elle pour compagne... Quelque chose le retenait, et elle craignait fort de savoir quoi.

Le désespoir au cœur, elle sombra dans un sommeil agité, et, soit à cause du champagne, soit à cause de sa tristesse, ses anciens cauchemars réapparurent dans toute leur force.

Il faisait sombre. Elle s'éveilla avec un cri étranglé, baignée dans une transpiration glacée, essayant de s'échapper à l'étreinte solide qui la retenait. Elle ne se rendait pas compte qu'il s'agissait des mains de Cameron et luttait, se débattait, saisie d'une panique totale.

Affolé, il s'efforçait de prendre une voix apaisante pour murmurer :

— Joey... m'entends-tu ? C'est moi, Cameron. Calme-toi, je t'en prie... Il n'y a rien à craindre...

Peu à peu, elle reprit conscience de la réalité. Cameron la relâcha et s'immobilisa pour l'observer. Elle avait les yeux agrandis d'horreur et portait les mains à son visage, d'un geste convulsif, comme pour se protéger...

Avec une extrême lenteur, elle s'obligeait à respirer sur un rythme régulier, à se convaincre que les murs de la pièce n'étaient pas ceux de l'hôpital et que les battements sourds, angoissants, qui vibraient à ses tempes ne signalaient que sa circulation sanguine, précipitée. Elle tendit l'oreille, tandis que les derniers fragments du rêve s'effilochaient comme une brume : aucun bruit, aucun ronronnement sinistre d'appareillage ne venait troubler le silence.

Elle se secoua et laissa retomber ses mains sur la couverture, saisie de honte. Elle avait laissé Cameron assister à cet horrible cauchemar. Ne risquait-il pas de deviner... le lourd poids de culpabilité qu'elle portait en secret depuis des mois ?

— Je... je suis désolée, balbutia-t-elle d'une voix rauque. Il y avait longtemps que...

— Pas si longtemps que cela, corrigea-t-il avec calme.

Il écarta avec tendresse une mèche de cheveux tombée sur ses yeux.

— En fait, tu rêves ainsi presque toutes les nuits. En général, de façon moins violente, et je n'ai jamais jugé utile de t'éveiller. Mais souvent, tu pleures dans ton sommeil...

Elle haussa les sourcils. Dans la pénombre, éclairée d'une lueur bleutée par la lune, l'expression du jeune homme paraissait grave.

— Je pense qu'il est temps que... tu me dises tout, Joey, ajouta-t-il.

Il l'installa confortablement sur les oreillers. Le contact de sa main s'avérait rassurant ; son regard n'accusait pas, ne jugeait pas... Oui, il avait raison. Elle devait désormais se délivrer, une bonne fois pour toutes. Son secret formait entre eux une barrière, la dernière peut-être, et il devenait nécessaire de la faire tomber, avec tous les risques que cela comportait. Sans doute, à la fin de son récit, aurait-il totalement changé d'opinion à son sujet... Mais, du moins, elle ne lui cèlerait plus rien.

Elle se leva, alla chercher son peignoir dans la salle de

bains et l'enfila, cherchant instinctivement à couvrir sa nudité. Puis elle revint s'asseoir sur le lit, à côté de Cameron qui attendait, silencieux.

Après quelques secondes d'hésitation, elle se lança :

— Bobby a passé... six mois à l'hôpital. Six longs mois... Personne n'a jamais vraiment compris ce qui lui arrivait. Malgré tous les traitements, toutes les tentatives, il empirait de jour en jour. Nous avons déployé sans le moindre succès des efforts gigantesques... Au début, lorsqu'il n'était pas encore trop atteint, il se montrait adorable ; il faisait partie de ces rares malades pour lesquels le personnel éprouve une véritable affection.

Elle eut, dans l'ombre, un faible sourire, et poursuivit :

— Il ne restait pas en place. Il quittait sa chambre, allait rendre visite aux autres patients, passait des heures en pédiatrie à raconter des histoires aux enfants alités... C'était devenu un jeu, car nous devions toujours le chercher dans tout l'hôpital à l'heure des soins. Avec les infirmières, il... il faisait preuve de la même gentillesse. Il avait toujours des attentions délicates, de menus cadeaux, des plaisanteries. Comme s'il semblait convaincu de devoir sortir bientôt...

Sa voix se brisa, et elle avala sa salive pour se ressaisir.

— Cette merveilleuse égalité d'humeur, cette disponibilité ne l'ont jamais quittées. Même quand... il est resté cloué sur son lit, son état devenant trop grave... il continuait à raconter des histoires drôles, mais parfois... il oubliait la fin...

Les mots, à présent, sortaient de façon heurtée, bouleversée. Joey se tut un instant, serrant les lèvres pour refouler ses larmes. Il lui fallait continuer à tout prix.

— Sa... sa condition physique se détériorait de manière effrayante. Rien ne lui était épargné ; ni les réactions allergiques aux médicaments, ni les complications post-opératoires... Au bout d'un moment, nous avons compris que... qu'il ne guérirait jamais. Il avait perdu tellement de poids et de force qu'il a fallu recourir à toute une batterie d'appareils pour l'aider à se nourrir, à respirer... D'abord, ce sont les reins qui ont cessé de fonctionner...

Comme pour contrôler son émotion, elle récitait à présent la liste des dysfonctionnements, comme un professionnel.

— ... puis il a contracté une pneumonie, et une infection qui s'est étendue aux autres organes. Un jour, le médecin a écrit dans son dossier, à l'intention des membres de l'équipe : « Bobby Williams est en train de mourir. Nous ne savons pas pourquoi, et nous ne pouvons rien faire ».

Cameron, bien entendu, connaissait déjà tous ces détails, que les journaux avaient rapportés en long et en large. Mais il comprenait parfaitement qu'elle eût besoin de tout reprendre au début, et ne l'interrompait pas.

— Un jour, murmura-t-elle en serrant les poings, le cœur s'est arrêté. Nous avons réussi à le réanimer. Puis le cœur s'est arrêté de nouveau, et nous l'avons ramené à lui, plusieurs fois. Cela semblait sans fin. Il... il paraissait de plus en plus résigné, de plus en plus désespéré. A la fin, il avait presque l'air de nous en vouloir, de... de nous haïr. Et un soir que nous étions seuls il m'a supplié d'une voix imperceptible : « Pourquoi ne me laissez-vous pas partir ? »

Depuis le commencement de son récit, la jeune femme fixait le mur d'en face, comme hypnotisée, et n'avait pas regardé Cameron une seule fois. Il se gardait d'intervenir.

D'une voix plus mesurée, elle reprit :

— Ses parents, bien sûr, ont commencé à exiger eux aussi que nous débranchions les appareils, que nous ne le laissions pas souffrir aussi inutilement. Sa... sa femme était dans un état indescriptible. Elle venait tous les jours, tempêtait, mendiait pour que nous lui permettions de mourir en paix. Bobby ne parlait presque plus, mais il la suivait des yeux, comme pour lui montrer combien il était d'accord avec elle... Nous vivions tous un véritable cauchemar. Dès que j'avais une minute, même si mon service était terminé, je venais m'asseoir à côté de lui, lui tenir la main. Je... je ne sais pas pourquoi. Je me sentais particulièrement concernée, comme s'il représentait un symbole de notre impuissance devant toutes les tragédies... Il semblait apprécier mes visites. Dès qu'il réussissait à articuler le moindre mot, il me priait à nouveau : « Laissez-moi partir... laissez-moi partir... »

Joey prit une profonde inspiration puis, soudain, se tourna vers Cameron, et expliqua d'une voix lente :

— Une nuit, alors que j'étais près de lui, il s'est mis à pleurer, sans faire de bruit, et j'ai lu dans ses yeux un immense désespoir. Plus aucun médicament, désormais, ne calmait ses souffrances... Alors je me suis levée et, résolument, j'ai augmenté la dose habituelle de son calmant. Il m'a regardée avec une gratitude infinie puis, lentement, il a glissé dans un sommeil salvateur... pour ne plus jamais se réveiller.

Elle resta un instant muette, comme si elle contemplait l'étrange tableau de l'horreur mêlée à la paix enfin retrouvée.

— Je savais que ses jours étaient comptés, que cela devait arriver. Je voulais simplement le soulager mais... je n'ai pas réussi à regretter d'avoir peut-être abrégé ses souffrances, sans l'avoir voulu. Ensuite, des âmes peu charitables m'ont accusée d'avoir voulu hâter la fin de mon malade, d'avoir débranché les appareils qui servaient à l'alimenter et à le soigner... Je ne regrette pas ce que j'ai fait, murmura-t-elle. Je ne l'ai jamais regretté. Je... je serais désolée que tu me méprises, mais cela ne me ferait pas changer d'avis. Si l'occasion se représentait, je recommencerais. C'est critiquable, je le sais, mais...

Elle se tut. Il lui restait à faire un aveu plus difficile encore... Elle guetta le regard de Cameron, mais son visage était dissimulé dans l'obscurité. Tout en se tordant les mains, sans s'en rendre compte, elle souffla :

— De... devant le tribunal, j'ai menti, bien sûr. Je... J'ai répété ce que m'avait conseillé de dire le directeur de l'hôpital. Que j'étais trop épuisée, trop bouleversée pour remarquer que le moniteur s'était déréglé tout seul...

Elle poussa un léger cri ; ses ongles s'étaient enfoncés dans sa paume. Jamais elle n'aurait cru que ce fût si dur. Courage, songea-t-elle pour elle-même. Un dernier effort...

— J'ai... j'ai menti parce qu'on me l'avait demandé, Cameron, mais aussi parce que je ne voulais pas aller en prison. Enfermée derrière les barreaux, je serais devenue folle...

Sa voix s'étrangla. Au cœur de la nuit, dans le silence, sa confession semblait honteuse, presque inavouable. Pourtant, c'était la vérité, telle qu'il lui fallait l'exprimer, et au fond d'elle-même elle n'éprouvait ni honte ni remords pour son acte. Elle revoyait, à présent, l'expression apaisée qui avait surgi sur le visage de Bobby au moment de l'agonie. Il avait expiré son dernier souffle avec une sérénité et surtout avec joie, elle en était sûre. L'image qu'il avait emporté d'elle était celle d'une femme qui lui apportait le soulagement, la délivrance... Et, en fait, c'était à cette paix qu'elle devait s'attacher, et non aux atroces souffrances qui avaient précédé. Seule comptait la sérénité du dénouement.

— Je ne regrette rien, répéta-t-elle avec douceur. Pas un seul instant.

Le silence parut se prolonger dans la chambre pendant d'interminables minutes. Joey n'osait regarder Cameron. Elle redoutait d'y lire le dégoût, le choc...

Puis, à son immense surprise, elle l'entendit murmurer dans l'ombre :

— Je le savais Joey, je l'ai toujours su.

Il lui prit la main et renchérit :

— Je te connais bien. J'étais certain que tu n'avais pu agir autrement et, à ta place, j'en aurais fait autant.

Elle tressaillit, submergée d'émotion, puis fondit en larmes sans pouvoir se maîtriser et se serra contre lui. Il l'avait comprise et, contre toute attente, il l'approuvait...

Il l'étreignit avec tendresse, chuchotant contre son oreille des paroles décousues, merveilleusement rassurantes. Il semblait qu'un flot purifiant, salvateur, les avait traversés, charriant avec lui comme des fétus tous les obstacles qui avaient empoisonné leur relation. Joey se sentait légère comme une plume : le poids qui oppressait sa poitrine depuis des mois s'était dissous comme par miracle.

Ils demeurèrent enlacés un long moment, sans bouger, savourant la quiétude nocturne. L'esprit de Joey s'était mis à vagabonder, tel un oiseau soudain libéré de sa cage et ivre de liberté. Car, si la compréhension de Cameron la soulageait, peut-être contenait-elle aussi une promesse. Une porte venait de s'ouvrir, sur un futur qui s'avérerait peut-être différent...

Et le mot « amour », en cet instant, paraissait bien faible pour décrire ce qu'elle ressentait à l'égard de son compagnon.

Chapitre 11

La veille de Thanksgiving, Joey décida d'aller rendre visite à Mary et son nouveau-né. Elle avait déjà vu le bébé, bien entendu, et savait qu'elle devait retrouver toute la famille pour la fête du lendemain, mais ce jour-là elle avait besoin de se changer les idées.

Quand Cameron s'était levé, pour se préparer avant de partir travailler, elle avait feint de dormir encore. Elle craignait, en fait, les conséquences de son aveu. Certes, il l'avait rassurée, il avait paru la comprendre et l'approuver ; mais était-ce vraiment le cas ? N'avait-il pas prononcé ces paroles apaisantes dans le seul but de lui permettre de se rendormir ? Elle redoutait, à la lueur du soleil, de rencontrer ses yeux, d'y lire la déception, le mépris, voire la répulsion...

Mais Cameron ne s'était pas laissé abuser. Après s'être habillé, il s'était approché du lit, une tasse de café à la main.

— Allons, Joey, avait-il chuchoté avec gentillesse. Je sais pertinemment que tu ne dors pas... Ouvre les paupières !

Elle s'était exécutée, levant vers lui un regard timide. Il s'assit au bord du lit ; son visage ne trahissait rien d'autre qu'une immense tendresse. Après un long silence, il avait ajouté :

— N'essaie plus jamais de me cacher la vérité, je t'en prie. Tu dois et tu peux me faire confiance, tu ne l'ignores pas. N'oublie pas que je te connais mieux que quiconque, et surtout...

Après un léger baiser, il avait conclu :

— ... que je t'aime.

Il ne mentait pas. Il l'aimait, il la soutenait sans la moindre arrière-pensée... A nouveau, elle sentit ses craintes s'évanouir, et un profond élan de gratitude et de bonheur la submerger. Il lui fallait apprendre, effectivement, à accorder sa confiance, et cette idée, peu à peu, faisait son chemin en elle.

Lorsqu'elle quitta l'appartement, elle était débordante d'enthousiasme et d'énergie. Elle aurait voulu arrêter chaque personne qu'elle rencontrait dans la rue pour expliquer, les yeux radieux, qu'elle aimait et était aimée... Pour la première fois de sa vie, elle savait exactement ce qu'elle voulait : vivre avec Cameron, dans la grande maison à l'abri des arbres, devenir sa femme et la mère de ses enfants. Il n'y avait plus, en elle, le moindre doute, et ce projet longtemps enfoui, méconnu, semblait enfin devenir possible.

Tout en chantonnant, elle se dirigea vers le centre de la ville au volant de sa voiture, se gara devant un grand magasin et choisit de ravissants vêtements pour le bébé, aux teintes pastel. Puis elle gagna la villa de Burt et Mary.

La première chose qu'elle vit en arrivant fut les trois petits garçons qui jouaient dans le jardin. Elle fronça les sourcils, surprise : l'aîné n'aurait-il pas dû se trouver à l'école. Peut-être, après tout, avaient-ils un jour de vacances à cause de Thanksgiving, songea-t-elle. Après avoir rangé sa voiture, elle prit l'allée encombrée de tricycles, de camions en plastique et de jouets divers. Deux des bambins, qui se roulaient sur la pelouse en se tirant les cheveux, ne levèrent même pas les yeux vers elle. Le troisième, assis sur les marches du porche, mettait des biscuits au chocolat dans sa bouche d'un air mélancolique. La porte était entrebâillée et, à nouveau, Joey sentit un frisson d'inquiétude la parcourir.

Cela ne ressemblait pas à Mary de laisser ainsi sa maison ouverte à tous vents. D'autres détails, inhabituels, la frappèrent ; les enfants, visiblement, n'avaient pas fait leur toilette. Le visage du plus jeune était barbouillé de terre et de chocolat, sa chemise déchirée... Décidément, l'arrivée du bébé avait dû beaucoup perturber la jeune mère. Sans doute était-elle débordée par le surcroît de travail et se montrait-elle moins méticuleuse qu'à l'ordinaire.

— Bonjour ! lança gaiement Joey en se penchant vers le petit garçon assis sur les marches. Où est ta maman ?

Il la regarda en prenant le temps d'avaler un biscuit supplémentaire avant de répondre. A l'intérieur, elle s'en rendit soudain compte, le bébé hurlait, de façon convulsive, comme si personne ne s'était occupé de lui depuis longtemps. Cela non plus n'était vraiment pas dans les habitudes de Mary...

— Elle dort, répondit enfin le garçonnet, la bouche pleine.

Cela paraissait peu vraisemblable, étant donné le vacarme que faisait le bébé. Mieux valait cependant s'en assurer...

Il régnait dans la demeure un désordre indescriptible. Les jouets traînaient absolument partout. Une table basse gisait, renversée, et le plateau de verre s'était brisé. Des tartines à moitié entamées jonchaient le sol. Des taches de confiture maculaient les sièges... Le spectacle évoquait, à s'y tromper, la tornade que pouvaient provoquer trois enfants livrés à eux-mêmes pendant de longues heures.

Le bébé criait toujours. Joey s'efforça de maîtriser son anxiété ; Mary, pour une raison ou une autre, n'avait sans doute pas eu le temps de remettre de l'ordre.

Cependant, son angoisse reprit le dessus. Il se passait indubitablement quelque chose d'anormal et, le cœur battant, elle s'avança dans le corridor.

Il n'y avait personne. Elle posa la layette neuve sur un meuble, s'immobilisa et appela d'une voix mal assurée :

— Mary ?

Pas de réponse. Seul le bébé réclamait toujours, avec des hoquets de rage et de frustration.

La bouche sèche, elle poursuivit son exploration. Personne non plus dans la chambre des enfants, complètement sens dessus dessous. Elle jeta un coup d'œil dans la salle de bains, vide elle aussi, où s'éparpillaient serviettes et vêtements. Puis elle atteignit la porte de la chambre des parents...

Elle était fermée.

— Mary ? C'est moi, Joey, cria-t-elle à nouveau, la bouche sèche.

Silence. D'une main tremblante, elle tourna la poignée, entra...

Mary était allongée sur son lit, vêtue d'un peignoir. Tout d'abord, la visiteuse se sentit soulagée ; elle dormait bel et bien, probablement épuisée.

Elle s'approcha pour l'éveiller et la gourmander avec

douceur. A quoi songeait-elle pour se laisser aller ainsi, alors que son bébé protestait et que ses enfants couraient sans surveillance dans la nature ?

Cette illusion, bien sûr, ne dura que quelques secondes. Très vite, son regard de professionnelle comprit ce qui se passait et elle eut l'impression que son cœur s'arrêtait de battre. Le visage de la jeune mère était livide...

En deux pas, elle fut près du lit et la secoua en l'appelant par son nom. Le bras retomba sur les couvertures, inerte. « Ce n'est pas possible, songea Joey avec frénésie. Mon Dieu, faites que ce ne soit pas vrai... »

Hâtivement, elle prit le pouls de Mary, pencha son oreille contre les lèvres entrouvertes. Elle discerna un très léger souffle et, sous ses doigts, de faibles pulsations, irrégulières. Morte d'inquiétude, elle se redressa et aperçut, sur la table de nuit, un flacon de comprimés, vide.

Un court instant, deux secondes tout au plus, la terreur la paralysa. Elle vivait un cauchemar, elle allait s'éveiller. Mary allait lui répondre...

Les dents serrées, elle s'empara du flacon, tellement épouvantée qu'elle ne réussit pas au premier abord à déchiffrer l'étiquette. Valium, cinq grammes, vingt comprimés... Comment savoir combien Mary en avait pris ? une flaque, à ses pieds, tachait la moquette. Etait-ce de l'alcool ?

Une sueur froide lui coulait le long du dos et les questions, désordonnées, se pressaient à son esprit. Depuis combien de temps Mary gisait-elle ainsi ? Et surtout pourquoi *pourquoi* avait-elle fait cela ?

Les larmes se mirent à ruisseler sur ses joues et une

sorte de rage l'envahit. Elle saisit Mary par les épaules, la secoua avec violence, cherchant avec désespoir à provoquer une réaction.

— Mary ? Répondez-moi, c'est un ordre ! Parlez-moi, je vous en supplie...

La tête de la jeune femme ballotait, ses paupières restaient closes. Joey avait l'impression de mener un terrible combat avec un adversaire sans visage... D'instinct, elle refusait de laisser la mort, une mort absurde, arracher encore une autre vie.

— Je ne vous laisserai pas faire, vous m'entendez ? hurla-t-elle en sanglotant. Vous n'aviez pas le droit ! Je ne vous laisserai pas mourir, Mary !

Avec résolution, elle appliqua sur le visage blême deux gifles vigoureuses. Une petite voix, derrière elle, gémit :

— Arrêtez ! Vous faites du mal à ma maman !

Elle n'y prêta pas la moindre attention. Il fallait agir vite, sans craindre la brutalité.

Enfin, Mary battit des paupières, et murmura entre ses lèvres craquelées :

— Je veux... être seule... dormir...

A nouveau, elle sombrait dans l'inconscience. Ce traitement de choc ne suffisait pas... Avec des gestes saccadés, Joey l'obligea à rester assise en l'adossant aux oreillers puis agrippa le téléphone et composa le numéro des urgences.

La suite des événements se déroula comme dans un brouillard ; Joey fit face à tout mécaniquement, dans une sorte d'état second. Les enfants, à présent, avaient joint leurs hurlements à ceux du bébé, mais il n'était pas encore temps de s'en occuper. En attendant l'arrivée de l'ambulance, elle obligea Mary à se mettre debout, à marcher dans la chambre en la soutenant. Elle lui parlait sans arrêt, la secouait, multipliait les efforts pour l'empêcher de s'endormir. Les dix minutes qui s'écoulèrent avant l'arrivée des infirmiers lui parurent durer des siècles...

Lorsque le véhicule, toutes sirènes hurlantes, partit enfin vers l'hôpital, Joey ne prit pas le temps de faire une pause. Elle calma les enfants, les installa avec leurs jouets, accueillit les voisins alertés par les cris. Une vieille dame charmante proposa de prendre soin du bébé. Soulagée, Joey appela Cameron et, en quelques phrases brèves, lui expliqua la situation.

Finalement, le silence se rétablit. Hébétée, n'ayant plus rien à faire pour l'instant, elle se laissa tomber sur une chaise ; la vieille dame avait réussi à endormir le bébé et lui apporta une tasse de café.

Elle la but sans même savourer le goût du breuvage, s'accablant de reproches. Elle aurait dû deviner ce qui allait arriver. Elle aurait dû prêter plus attention à la lassitude de Mary, à ses plaintes discrètes...

Malgré sa longue expérience des urgences, et les réflexes efficaces dont elle faisait automatiquement preuve dans ces cas-là, elle retrouvait le désespoir familier qui la saisissait toujours lorsqu'une vie était menacée. C'était trop absurde, trop cruel. Pourquoi ? Pourquoi ?

La vieille dame, la sentant bouleversée, l'obligea à reprendre une tasse de café et lui parla avec douceur. Joey se força à inspirer régulièrement. Il lui fallait se ressaisir ; la panique ne servait à rien.

— Elle... elle m'a dit qu'elle voulait dormir, murmura-t-elle. Juste dormir...

La voisine hocha la tête, l'air grave. Il était difficile de parler de ces choses-là, mais toutes deux semblaient se comprendre à demi-mots, savoir que chacun pouvait à un moment donné traverser une crise de faiblesse semblable. Les limites des uns s'avéraient simplement plus fragiles que celles des autres...

— Les jeunes mères sont souvent... très lasses, répondit son interlocutrice avec sobriété. Et elles ont vite l'impression qu'elles ne verront jamais le bout du tunnel.

Joey but sa dernière gorgée de café puis rassembla ses forces. Elle appela Avis, pour lui demander de venir prendre les trois aînés, expliquant qu'elle s'occupait elle-même du bébé. Puis, aidée de sa compagne, elle remit la maison en ordre. Toutes deux, ensuite, changèrent les enfants, en leur précisant qu'ils allaient séjourner chez leur grand-mère et que leur maman reviendrait bientôt. Du moins, songea sombrement Joey, il fallait l'espérer... Une fois qu'ils furent prêts, la voisine prit congé. Elle habitait à côté et assura qu'elle restait à la disposition de Joey si celle-ci avait besoin de quoi que ce soit.

Avis Scott, dans les situations de crise, donnait toute la mesure de sa force de caractère. Au téléphone, Joey lui avait juste dit que l'on avait emmené Mary à l'hôpital ; en apprenant les détails, elle se montra horrifiée, pleine de compassion, mais absolument pas hystérique et ne perdit pas ses moyens un seul instant. Avec compétence et autorité, elle prit les petits garçons en main. Comme par miracle, ces derniers obéissaient au doigt et à l'œil à leur grand-mère.

Celle-ci s'efforçait de maîtriser ses émotions avec courage. Le seul moment où ses yeux s'embuèrent fut lorsque l'un des bambins, assis avec ses frères sur le siège arrière de la voiture, demanda :

— Est-ce que nous aurons tout de même de la dinde pour Thanksgiving, demain ?

Avis s'essuya les yeux, le rassura avec gentillesse et démarra.

Joey resta seule dans la vaste maison, avec le bébé qui dormait paisiblement. Un poids terrible lui serrait la poitrine, et rien, ni la relaxation, ni les boissons fraîches qu'elle s'obligeait à boire, ne venait l'apaiser. Elle déambula dans les pièces, mettant la dernière main au rangement... Tout, à présent, paraissait si normal, et en même temps si vide ! Personne n'aurait pu deviner qu'une heure plus tôt, à peine, une terrible lutte contre la mort s'était déroulée. Et, malheureusement, il était à craindre que les choses, dans la villa, ne soient plus jamais les mêmes...

Quand le téléphone sonna, Joey mit un long moment avant de répondre, tant l'angoisse la clouait au sol. Puis, en serrant les dents, elle alla décrocher.

— Mary est hors de danger, fit la voix de Cameron.

Joey poussa un immense soupir et ses jambes, soudain, se dérobèrent sous elle. Elle s'assit à même le sol, agrippant l'écouteur à deux mains.

— Ils vont la garder quelques jours, poursuivit Cameron. Burt n'a pas encore pu la voir...

Joey hocha la tête ; c'était normal. Elle expliqua qu'elle avait confié les aînés à leur grand-mère et veillait elle-même sur le bébé.

Cameron semblait las, bouleversé.

— Je vais bientôt ramener Burt chez lui, signala-t-il. Il... il est effondré.

Il y eut un silence. Joey ferma brièvement les yeux ; ils

avaient frôlé de si près la tragédie ! Elle se sentait vidée de toute son énergie et avait hâte de retrouver Cameron, de s'enfouir dans ses bras...

— Joey ? questionna-t-il. M'entends-tu ?

— Oui, souffla-t-elle avec effort. Ne t'inquiète pas... je vais bien. Prends bien soin de Burt. Je serai là quand vous arriverez.

Elle raccrocha en soupirant à nouveau. Il ne fallait songer qu'à l'essentiel ; Mary était sauvée. Les quatre enfants ne deviendraient pas orphelins... Cependant, malgré son soulagement, elle restait soucieuse. Les tentatives des désespérés, elle le savait, fonctionnaient comme un signal d'alarme, et l'entourage devait se montrer très vigilant.

Elle fit réchauffer le biberon tout en réfléchissant aux décisions à prendre dans l'immédiat. Le repas de Thanksgiving, bien entendu, serait annulé. Par ailleurs, Burt n'avait sans doute jamais changé un seul bébé de sa vie... Elle résolut de ramener la petite Tiffany chez Cameron et fit mentalement la liste de ce dont elle aurait besoin en allant s'installer au salon.

Elle prit place dans le vaste rocking-chair qui faisait face à la cheminée. Mary elle-même, songea-t-elle, avait dû y passer de longues heures... Sur ses genoux, le bébé suçait le lait tiède avec une avidité ravie.

Joey le regarda d'un air attendri. Elle se souvenait des longs mois où elle avait travaillé dans un service de maternité ; elle trouvait merveilleux de partager le ravissement des jeunes mères. A l'époque, cependant, elle avait surtout eu un regard professionnel, et c'était la première fois, avec Tiffany, qu'elle sentait s'éveiller en elle une profonde émotion, proche de l'instinct maternel. Avec ses cheveux fins comme du duvet, ses mains minuscules, la petite fille potelée semblait si fragile, si émouvante !

Soudain, un farouche besoin de protection la traversa, et elle serra Tiffany contre elle comme pour ne laisser personne la lui arracher. Vaguement surprise, l'enfant ouvrit de grands yeux, puis fit son premier sourire depuis le début de la journée. Joey lui sourit à son tour, entre ses larmes.

— Comment a-t-elle pu songer à abandonner une jolie petite poupée comme toi ? souffla-t-elle. Comment ?

Mais l'enfant avait recommencé à téter, sans plus se préoccuper de rien.

L'œil exercé de Joey remarqua aussitôt en Burt, lorsqu'il entra sur les talons de Cameron, les signes d'un état de choc particulièrement profond. Il avait le visage hagard ; ses yeux exorbités semblaient incapables de se fixer sur un point précis. Il avançait d'un pas hésitant, se cognant aux meubles de temps à autre, et il fallut que Cameron le guide jusqu'à un fauteuil. Il s'y affala, immobile, sans prononcer le moindre mot ; il se bornait à se passer de temps à autre la main dans les cheveux, d'un geste machinal.

Joey, en temps ordinaire, croyait plus à l'action de la volonté et au soutien psychologique de l'entourage qu'à l'emploi de « remontants » comme l'alcool ou les médicaments. Cependant, elle n'hésita pas, se dirigea tout droit vers le bar et versa dans un verre une large rasade de brandy.

Burt accepta le breuvage sans dire un mot. Cameron, assis à côté de lui, ne le quittait pas des yeux.

— Mary s'en sortira, tu sais, murmura-t-il d'une voix

douce. Ils vont la garder en observation quelques jours, et elle verra un psychologue, mais le médecin-chef ne ressent pas la moindre inquiétude. Il voit dans son geste, plus qu'autre chose, un... un appel au secours.

Burt avala une gorgée de brandy, frissonna, et pour la première fois leva la tête vers Joey comme s'il s'apercevait enfin de sa présence.

— Dieu merci, souffla-t-il de manière presque inaudible, tu es arrivée juste à temps...

Il but une nouvelle gorgée et ferma les paupières en se laissant aller contre le dossier. Un profond désarroi marquait ses traits ; ses mains tremblaient.

— Je... je ne comprends pas, reprit-il.

Joey et Cameron, sachant que parler le soulagerait, veillaient avec tact à ne pas intervenir.

— Je ne comprends pas... Elle ne m'a jamais rien dit, elle ne s'est jamais plainte. Souvent, je lui ai proposé d'engager quelqu'un pour l'aider, ne serait-ce qu'une jeune fille au pair... Elle n'a rien voulu entendre. Elle tenait à prendre soin de tout elle-même... Si j'avais su, j'aurais insisté...

Son regard, avec lassitude, fixait son verre vide, comme s'il ne pouvait s'en détacher.

Joey connaissait bien toutes les étapes par lesquelles il allait passer : le désespoir, l'incrédulité, la colère, puis, elle l'espérait, une forme d'acceptation, plus constructive que la résignation. Cela ressemblait un peu au fait de reprendre pied, de retrouver confiance en la vie après un deuil... Et il lui faudrait traverser tout cela lui-même, car personne au monde ne pourrait le faire à sa place.

Elle se leva, s'agenouilla près de lui et posa la main sur son bras.

— Burt... je vais emmener le bébé avec moi, tu n'auras pas à t'en inquiéter. Tes fils sont chez leur grand-mère. Le plus important, en ce moment, c'est que tu consacres toute ton énergie à Mary. Elle aura besoin d'une présence constante. Ce soir, prépare un bon repas...

Elle jeta un coup d'œil à Cameron et ajouta :

— Cameron restera avec toi, aussi longtemps que tu en auras besoin. Entendu ? Prends bien soin de toi, surtout.

Burt serra les lèvres ; elle comprit qu'il luttait pour ne pas fondre en larmes. Il lui serra la main, en signe de gratitude, et hocha silencieusement la tête.

Cameron aida la jeune femme à charger les affaires du bébé dans la voiture, puis installa la petite fille dans le berceau solidement fixé au siège arrière. Il semblait mort d'épuisement, soucieux. Quand leurs regards se croisaient, ils y lisaient tous deux la même interrogation muette : « Pourquoi ? »

Il ne l'embrassa pas, et ils n'échangèrent pas le moindre mot. Ils n'auraient rien pu dire, se sentant aussi désemparé l'un que l'autre. Simplement, il lui pressa l'épaule au moment où elle montait dans la voiture, pour lui transmettre la force dont elle aurait besoin... Puis, debout dans l'allée, il la regarda s'éloigner, et elle vit dans le rétroviseur qu'il enfonçait avec tristesse les mains dans ses poches, le dos voûté.

Heureusement, elle eut trop à faire avec le bébé durant les heures qui suivirent pour prendre le temps de réfléchir. Il fallait lui donner son bain, le changer, le nourrir, et elle y prenait grand plaisir. Après son dernier biberon du soir, la petite Tiffany s'endormit en suçant son pouce et Joey passa un long moment à la contempler. Elle trouvait merveilleux d'avoir, dans une maison, cette petite présence vivante et chaude.

Avec un soupir, elle retourna au salon et la terrible sarabande des questions sans réponses recommença. Pourquoi Mary avait-elle agi ainsi ? Elle avait tant de choses : une famille qui l'aimait, des enfants superbes...

Au fond d'elle-même, cependant, Joey avait l'impression dans une certaine mesure de comprendre la jeune mère. Et sans doute était-ce pour cela que sa gorge ne parvenait pas à se dénouer.

Cameron rentra très tard dans la nuit, vers quatre heures. Joey s'était levée pour nourrir la petite fille et venait juste de se recoucher. Elle le regarda se dévêtir dans la pénombre. Lui aussi paraissait soudain terriblement vulnérable... Cette journée, avec une brutale cruauté, leur avait rappelé à tous deux l'inéluctable fragilité de la vie, et la nuit semblait ne plus avoir le même parfum.

Lorsqu'il se glissa à côté d'elle, elle l'attira, impulsivement. Il lui fallait sentir un corps solide, réel, contre le sien... Le cœur de Cameron battait avec régularité. Il l'entoura de ses bras sans rien dire, savourant lui aussi la joie de la retrouver.

Ils restèrent longtemps enlacés, sans bouger, les yeux grands ouverts dans l'obscurité. Ils avaient à peine quelques heures de répit avant la naissance de l'aube.

Chapitre 12

Pour aussi étrange qu'elle fût, la « routine » qui s'installa dans l'existence de Joey et Cameron les jours suivants n'était pas désagréable. Le soulagement qu'ils éprouvaient d'avoir échappé à une tragédie irréversible jouait son rôle ; mais, aussi la confiance qu'ils ressentaient l'un envers l'autre s'était renouvelée et approfondie. La présence du bébé les ravissait, et les contraintes imposées par le petit être leurs semblaient bien légères. Joey savait qu'ils vivaient une période de bonheur mélancolique et précieux, dont elle se souviendrait toujours avec nostalgie...

Tiffany resta avec eux une semaine. Mary avait quitté l'hôpital au bout de trois jours, mais le médecin lui avait prescrit un repos complet avant qu'elle ne reprenne ses tâches quotidiennes. Le matin de sa sortie, ils lui apportèrent le bébé pour qu'elle puisse le voir ; elle semblait triste, et très lasse, mais du moins la tension nerveuse qui auparavant assombrissait son regard s'était évanouie. Elle aurait voulu garder la petite fille avec elle, mais Burt lui rappela les recommandations du praticien et elle s'inclina. Avec gentillesse et effusion, elle remercia Joey de ses soins et affirma qu'elle se sentait tranquillisée de savoir sa fille en d'aussi bonnes mains.

— Une infirmière professionnelle et un oncle dévoué, ajouta-t-elle avec un sourire fatigué. Qui pourrait rêver mieux ?

Burt, bien entendu, avait pris plusieurs jours de congé pour veiller sur elle et, dans l'intervalle, Cameron assurait le fonctionnement de l'agence. Les trois aînés séjournaient encore chez leur grand-mère ; cette dernière, annonça Burt avec satisfaction, avait entrepris de leur inculquer « des manières de petits garçons bien élevés » et ils se montraient sages comme des images.

En somme, tout le monde paraissait tirer de l'expérience une sorte de profit, de maturité. Seule Joey, sans bien comprendre pourquoi, continuait à ressentir une vague angoisse, dont elle avait du mal à discerner l'origine.

Cameron, dans son rôle de père de substitution, s'avérait admirable. Il ne manquait pas une occasion de jouer avec le bébé, le nourrissait et le changeait comme un véritable expert, et ils en venaient à se quereller comme un couple marié sur la meilleure manière de s'y prendre ! Tous les soirs, il rentrait les bras chargés de vêtements et de babioles. Pour le taquiner, Joey prétendait qu'ils pourraient bientôt à ce rythme ouvrir une succursale du plus grand magasin de layette de la ville... Il se bornait à sourire avec malice.

— Cela me rappelle l'heureuse époque où je m'occupais de mon jeune frère. Je me sens rajeunir à vue d'œil !

Tiffany, dans ses bras, ne se plaignait jamais.

— Elle est merveilleuse, murmura-t-il un jour où,

après le dîner, il avait exigé de lui donner son biberon. Beaucoup plus calme que ne l'étaient ses frères.

Joey sortait d'un sac l'impressionnante collection d'animaux en peluche qu'il venait de rapporter.

— C'est vrai, admit-elle. Une qualité rare chez les bébés... Je dois avouer, cependant, qu'elle ne choisit pas toujours le moment idéal les rares fois où elle se met à pleurer !

Elle faisait allusion à la nuit précédente, où Tiffany les avait éveillés une demi-heure à peine après avoir pris son biberon de trois heures du matin.

— Tu ne nieras pas malgré tout, plaisanta Cameron, que tu es tout aussi enchantée que moi de l'avoir à la maison.

— Bien sûr, murmura-t-elle en souriant. Mais peut-être nous montrerions-nous moins enthousiastes si nous ne savions pas que cela ne doit durer qu'une semaine.

— Qui sait ? répondit Cameron d'un air énigmatique, en recouchant la petite fille dans son couffin.

La jeune femme rajouta un dernier tigre en peluche aux animaux divers qui couvraient déjà la table et s'écria, les poings sur les hanches :

— Qu'allons-nous faire de cette masse de jouets, Cameron? Burt et Mary en sont déjà inondés. Ils n'auraient plus la place d'en rajouter un seul... Ce gaspillage me paraît un peu superflu.

— Pas tant que cela, rétorqua-t-il en étirant ses longues jambes. Peut-être aurai-je moi-même des enfants, un jour...

Il fixait sur elle un regard perçant, comme pour faire allusion à une perspective qu'il leur faudrait tôt ou tard affronter.

— En somme, ils ne sont pas perdus, conclut-il.

Joey eut un sourire contraint. Le sujet, bizarrement, l'embarrassait, et elle se détourna.

Au même instant, le téléphone sonna ; Mme Gable venait aux nouvelles, proposant gentiment son aide.

— Nous nous en sortons très bien, ne t'inquiète pas, assura sa fille. Mary se remet vite et sera bientôt sur pied, cela ne fait aucun doute.

— N'as-tu pas trop de difficultés à t'occuper du bébé ? Si tu veux, je peux...

La vieille dame, en fait, mourait d'envie de jouer les grands-mères adoptives.

— J'ai l'habitude, maman, affirma Joey avec patience. Je suis infirmière de formation, ne l'oublie pas...

— Oui... Mais l'aspect professionnel ne suffit pas, tu sais. Lorsque l'on n'a soi-même jamais eu d'enfants...

— Maman, je t'en prie...

— Mais j'y pense, coupa Mme Gable, changeant adroitement de sujet. Quelqu'un a téléphoné pour toi, ici... Un médecin. Je n'ai pas voulu lui donner le numéro de Cameron avant de te demander ton avis, mais je lui ai promis que je te transmettrai le message. Il s'agit du docteur Jordan...

Joey fronça les sourcils.

— Jordan ? Albert Jordan ?

— Une minute. J'avais noté sur un papier... Ah ! Voici. C'est bien cela. Il a laissé ses coordonnées à New York, en demandant que tu le rappelles avant le quinze décembre...

Joey prit machinalement le numéro qu'elle lui donnait. Albert Jordan ! Elle avait travaillé avec lui, deux ans auparavant, lors d'une mission au Japon, courte mais passionnante. C'était un chirurgien de réputation internationale, sans cesse en déplacement dans le monde entier, et il lui avait souvent proposé de retravailler avec lui à des moments où elle n'était malheureusement pas disponible. Sans doute avait-il entendu parler du procès et désirait-il savoir ce qu'elle devenait...

— T'a-t-il précisé pourquoi il appelait ? s'enquit-elle en reposant son stylo.

— Non. Il souhaitait simplement que tu prennes contact avec lui.

Elle remercia Mme Gable et raccrocha. A l'occasion, elle appellerait son ancien employeur pour le remercier de sa sollicitude, mais rien ne pressait.

Cet après-midi-là, elle téléphona à l'agence de voyage qui l'avait engagée et, expliquant qu'une crise grave frappait son entourage, demanda à retarder ses débuts d'une semaine. Peut-être, se dit-elle, avait-elle tort ; se lancer dans une nouvelle activité lui ferait probablement du bien. Cependant, la perspective d'une semaine de répit soulagea un peu la curieuse angoisse qui l'oppressait.

Cameron, cette nuit-là encore, insista pour se lever lui-même lorsque Tiffany fit entendre ses premiers pleurs. Joey protesta, arguant qu'il avait à travailler le lendemain matin, mais il se montra inflexible. Elle finit par comprendre qu'il n'agissait pas ainsi uniquement pour lui rendre service ; en fait, il prenait grand plaisir à s'occuper du bébé, c'était visible. Lui aussi, dans leur vie récemment assombrie, trouvait un profond apaisement auprès de cette jeune existence, innocente et porteuse d'espoir. Elle se leva à son tour, savourant l'atmosphère sereine de la nuit, et le spectacle de la petite fille têtant d'un air concentré dans la lueur douce de la lampe...

Lorsqu'ils se recouchèrent, elle s'endormit aussitôt d'un sommeil lourd. En se réveillant, à l'aube, elle s'aperçut qu'elle était seule.

Elle se frotta les yeux. Une fois encore, les cauchemars ne lui avaient pas laissé de répit. Mais, bizarrement, le visage de Mary avait désormais remplacé celui de Bobby Williams... Et, dans le rêve, leurs voix alternaient, aussi lugubres l'une que l'autre : « Laissez-moi partir... je veux dormir... laissez-moi partir... »

La jeune femme poussa un profond soupir. Dans la journée, elle parvenait en s'occupant à chasser les images qui l'obsédaient ; mais la nuit, et surtout dans les moments qui précédaient le réveil, elle s'y sentait livrée sans défense.

Elle enfila son peignoir et passa dans la pièce voisine. Cameron, assis sur le canapé, tenait contre lui le bébé endormi. Joey s'immobilisa sur le seuil, frappée par l'émouvante beauté de la scène. Cet homme jeune, torse nu, les yeux encore voilés de sommeil, penché sur la minuscule créature aux grands yeux noirs... La gorge serrée, Joey eut soudain une brusque vision d'une maison baignée de soleil, devant laquelle s'ébattaient des enfants rieurs ressemblant trait pour trait à Cameron. Serait-ce elle, la femme qui dans quelques années les observerait d'un regard attendri ?

Ou bien... ou bien, comme Mary, se sentirait-elle un jour étouffer entre quatre murs et choisirait-elle la fuite qui lui était familière — les départs, les voyages, sans jamais regarder derrière elle ?

Ses yeux s'embuèrent. Elle ne se rendit pas compte

que son compagnon avait recouché le bébé et l'observait d'un air soucieux.

— Joey ? appela-t-il doucement.

Elle sursauta et se ressaisit.

— Bonjour, sourit-elle. Je viens juste de m'éveiller... Je ne t'avais pas entendu te lever.

Il lui tendit les bras pour qu'elle vienne prendre place à côté de lui et la serra avec tendresse.

— Sois franche... tu me parais tendue, inquiète. Y a-t-il quelque chose qui te préoccupe ?

Elle haussa les épaules, feignant l'indifférence.

— Juste un mauvais rêve, encore une fois...

Puis elle se mordit les lèvres et ajouta, avec plus de gravité :

— Je... je ne peux m'empêcher de me sentir coupable. Si j'avais passé plus de temps avec Mary, prêté plus attention à ses paroles...

— Tss, gourmanda-t-il avec affection. Ces sombres idées me paraissent absurdes. Tu lui as sauvé la vie, Joey. Tu t'es trouvée là au bon moment, tu t'es comportée avec une remarquable efficacité... Personne ne pouvait deviner qu'elle recourrait à de telles extrémités, je te l'assure. Burt, qui vit avec elle, ne s'est jamais douté de rien. Tu as fait tout ce que tu as pu, et tu n'as rien à te reprocher.

Ces derniers mots résonnèrent curieusement en elle. Combien de fois se les était-elle répétés, pour chasser le spectre de la mort de Bobby Williams ? Le sort de ces deux êtres dont la vie avait reposé entre ses mains, Bobby et Mary, se mêlait dans son esprit de façon confuse, perturbante. Mais Cameron pouvait-il le comprendre ? Pouvait-il deviner que dans les deux cas, à la base de l'énergie désespérée de sa lutte, se trouvait en fait une rage profonde contre elle-même, contre sa propre impuissance ? D'une certaine manière, elle commençait à le percevoir, elle avait voulu en sauvant Mary expier le décès tragique de son jeune malade...

— A mon avis, reprit Cameron, tu t'adresses encore des reproches pour l'affaire Williams, et la tentative de Mary fait resurgir tout cela à la surface. Tu t'es rendu compte, avec un choc, que le fait d'abandonner ta profession ne t'évitait pas de devoir affronter les aspects les plus cruels de l'existence... Et que, d'une manière ou d'une autre, tu serais encore responsable de la vie de ceux qui t'entourent. Mais si je puis me permettre, Joey, c'est là le sort de tout un chacun. Aucun de nous n'y échappe... Nous sommes tous responsables, en général de façon moins dramatique que tu ne l'as été, certes, mais responsables tout de même. Le secret, c'est de connaître ses propres limites... et aussi ses propres pouvoirs.

— Parfois, bégaya-t-elle d'une voix tremblante, je ne sais plus si... j'ai laissé mourir Bobby pour le délivrer lui, ou moi-même...

Sans répondre, il l'étreignit plus étroitement. La confession qu'elle venait de faire, il le savait, était celle que tous deux attendaient depuis longtemps. Mais le fait qu'elle ait enfin réussi à parler suffirait-il à la libérer des fantômes qui la hantaient ? N'allait-elle pas réagir à nouveau en se voilant les yeux, en prenant la fuite ?

Il la sentit frémir contre lui, comme si déjà elle s'évadait. Et une terrible anxiété l'envahit.

Chapitre 13

Un matin, Mary et Burt vinrent prendre le bébé chez Cameron. Joey savait que l'appartement, après leur départ, paraîtrait terriblement vide, et ce fut effectivement le cas.

Burt avait expliqué en détail les nouvelles dispositions qui facilitaient la vie de sa jeune femme. Une aide-ménagère venait désormais tous les jours ; les deux aînés fréquentaient l'école tous les après-midi et Mary, que suivait régulièrement un thérapeute, avait commencé à prendre des leçons de pilotage... Avec son époux lui-même !

— Je... je n'ai jamais eu réellement envie de mourir, confia-t-elle à Joey tandis que Burt chargeait les affaires de Tiffany dans la voiture. A présent, j'en ai conscience... Mais sous l'effet de l'épuisement il s'est produit une sorte de... de court-circuit. Mon corps, mon esprit avaient bien lancé des signaux de détresse ; malheureusement, je n'y ai pas prêté attention. Avec obstination, je voulais m'acquitter de tout, comme si j'étais surhumaine !

Avec un petit sourire de remords, elle ajouta :

— J'ai choisi la solution de la fuite, non sans

lâcheté... Dieu merci, la vie m'a donné une deuxième chance, et cette fois je ne la laisserai pas passer. A présent, je connais mes limites et je les accepte. Je ne saurais vous dire, Joey, à quel point je vous suis reconnaissante...

Les deux femmes s'embrassèrent avec tendresse, puis Joey referma la porte derrière eux.

Et aussitôt, toute son angoisse lui revint à la gorge.

Elle regarda autour d'elle, désemparée. Les plantes, près de la fenêtre, n'avaient pas été arrosées depuis plusieurs jours et jaunissaient ; d'un pas lourd, elle alla emplir un broc d'eau dans la cuisine. Puis elle se pencha pour les abreuver...

Mais son esprit tournait en rond, avec frénésie. A quoi rimait son existence actuelle ? Elle jouait les épouses au foyer, les mères de substitution, sans que cela repose sur rien de tangible. De quel droit s'était-elle arrogée ce rôle dans la vie de Cameron ? Sa vraie place n'était pas là. Avis et Mary, chacune à leur manière, tentaient de fuir une vie que pourtant elles avaient choisie, qui leur convenait. Il n'y avait aucune raison pour qu'elle, Joey, s'en sorte mieux... Déjà, elle commençait à se sentir prisonnière. Déjà, elle cherchait à ouvrir la porte d'une cage invisible...

Posant le broc vide à même la moquette, elle alla chercher le bloc-notes où elle avait noté le numéro d'Albert Jordan et décrocha le téléphone.

Il répondit aussitôt et, après les salutations d'usage, déclara d'une voix grave :

— J'ai entendu parler de ce qui s'était passé à Austin, Joey.

Elle serra les doigts sur l'écouteur.

— Je voudrais que vous sachiez, poursuivit-il, que si j'étais moi-même à l'agonie dans une chambre d'hôpital, au milieu des appareillages et des perfusions, je souhaiterais de tout mon cœur qu'une infirmière ayant autant que vous le goût de la liberté, et une compassion authentique pour la souffrance d'autrui, vienne me délivrer.

Joey sentit ses yeux s'humecter. C'était une chose que de recevoir le soutien de sa famille et de ses amis ; mais c'en était une autre que de se voir approuver par l'un des membres les plus éminents de sa profession. Surtout lorsque tant d'autres lui avaient tourné le dos...

D'une voix émue, elle murmura :

— Je... je vous remercie.

Il hésita un instant.

— Vous... vous avez toujours votre licence, n'est-ce pas ?

— Oui, car j'ai été acquittée. Mais je... j'ai presque décidé d'abandonner ma carrière...

Presque ? Pourquoi ajoutait-elle ce mot ? N'avait-elle pas pris une résolution définitive, plusieurs semaines auparavant ? Quelle force mystérieuse la poussait ?

— Vous avez dû rencontrer bien des difficultés à retrouver un emploi dans ce secteur...

Elle eut un petit rire amer.

— Je ne le nierai pas !

— Sans doute cela vous ferait-il du bien de quitter le pays un moment, Joey. Cela vous donnerait le temps de réfléchir avant de renoncer pour toujours. Je pars pour l'Alaska dans deux semaines, afin d'assurer la formation du personnel d'un nouvel hôpital. Le climat y est un peu rude, certes, mais j'apprécierais à sa juste mesure l'assistance d'une excellente infirmière.

Joey s'immobilisa. Lentement, le nœud qui lui serrait la gorge se dénoua, et elle se sentit presque soulagée. Oui, elle avait eu tort de penser trouver une échappatoire en perturbant la vie d'un autre. Il lui fallait faire face, seule...

— Cette proposition me paraît très alléchante, répondit-elle. Quand auriez-vous besoin de moi ?

Albert Jordan semblait enchanté.

— Eh bien... j'aimerais vous voir à New York, le plus tôt possible, afin que nous mettions tous les détails au point. Vous n'ignorez pas la quantité de paperasses et de démarches qui accompagnent ce genre de mission...

D'un ton ferme, elle assura :

— Je peux prendre l'avion ce soir-même et vous rejoindre dès demain matin.

C'était là une chose qu'elle avait toujours appréciée à Dallas ; la présence d'un immense aéroport international qui permettait, jour et nuit, de s'échapper... ailleurs.

Le vol partait à dix-sept heures. Elle fit en hâte ses bagages, se rendit directement aux bureaux de la compagnie, les fit enregistrer et, munie de son billet, alla trouver Cameron qui travaillait non loin. Elle avait largement le temps de lui dire au revoir.

Il était dans un hangar, penché sur un moteur d'avion, une clef anglaise à la main. Il se redressa, s'essuya les mains sur sa combinaison maculée de cambouis, et lui adressa un sourire radieux.

— Quelle délicieuse surprise ! s'écria-t-il. Une visite en plein milieu de l'après-midi...

Puis il s'interrompit, comme s'il avait lu dans son regard quelque chose qu'il ne pensait pas y trouver. Et, d'une voix tout à fait différente, composée, il ajouta :

— Tiffany est-elle bien rentrée chez elle ?

Elle hocha la tête. Il devenait pratiquement impossible, tout à coup, d'articuler le moindre son. Que lui dire ? Pourtant, elle lui avait fait ses adieux de nombreuses fois auparavant. Mais aujourd'hui, cela faisait mal...

— Cameron... balbutia-t-elle avec maladresse, je... je prends l'avion de dix-sept heures pour New York.

Rien, pas la moindre expression ne traversa le visage du jeune homme, presque comme s'il s'y était attendu, comme s'il avait répété ces mots sans répit dans sa tête. Comme s'ils s'avéraient inévitables.

Sortant un chiffon à carreaux de sa poche, il nettoya son outil et le posa, sans lever les yeux vers elle. Désemparée, le cœur battant, elle ajouta avec précipitation :

— Il s'agit d'un chirurgien avec lequel j'ai déjà travaillé... Il m'a fait une offre si intéressante que j'aurais jugé stupide de la refuser. Nous partons pour... Juneau, en Alaska...

Il hocha la tête. Il se tenait debout à un mètre, à peine, mais la distance semblait aussi infranchissable qu'un précipice.

— Combien de temps la mission dure-t-elle ?

— Plusieurs mois, je pense...

Il opina à nouveau. Il acceptait, comme il l'avait toujours fait... Et, curieusement, Joey perçut en elle un mélange d'émotions mêlées de colère, de frustration. Elle résista à la tentation de tourner les talons sans rien ajouter. La vision fugace de vastes étendues boisées, avec une maison blanche sous un ciel d'un bleu pur, passa devant ses yeux... N'allait-il rien dire ? N'émettrait-il pas la moindre protestation ?

L'image de la villa, au milieu des pacaniers, s'estompa. « Il ne m'a jamais fait la moindre promesse », songea-t-elle avec amertume. « Tous mes rêves de vie unie n'ont pas existé ailleurs que dans mon imagination. C'était ma façon à moi de m'échapper, et il devait le savoir depuis le début... »

Soudain, elle comprit que si à cet instant précis, il lui avait demandé de rester, elle l'aurait fait.

Il enfonça les mains dans ses poches, résistant farouchement à la tentation de la prendre dans ses bras. S'il la touchait, il le savait, il ne pourrait plus la laisser partir. Ainsi, une fois encore, leur histoire se terminait ainsi. Des adieux mélancoliques, sur le terrain d'un aéroport... Une scène qu'ils avaient jouée plusieurs fois, de manière différente et pourtant toujours semblable. Pourquoi avait-il cru qu'il en irait enfin autrement ? Dès le début, il aurait dû sentir cela venir, sans se voiler les yeux, sans tenter de s'abuser. Ce qui s'était passé les dernières semaines n'avait rien changé. Il s'agissait en fait d'un interlude totalement identique aux autres... Et, à son tour, il songea : « Elle ne m'a jamais fait la moindre promesse. » Il en ressentait une sourde tristesse.

— Ecoute, reprit Joey, je... j'ai laissé ma voiture devant chez toi. Voici les clefs... Cela t'ennuierait-il de la vendre pour moi ? Elle commence à rendre l'âme de toute façon, et j'ignore quand...

Sa voix faillit se briser. Elle se tut à temps... Un poids plus oppressant que jamais pesait sur sa poitrine, bloquant sa respiration.

Cameron arborait un sourire neutre, indéchiffrable. Pourquoi, se répéta-t-elle, ne disait-il rien ? Etait-il donc à ce point indifférent ? D'ordinaire, pourtant, il savait toujours quels mots prononcer pour éclaircir une situation, aider Joey à clarifier ses propres désirs...

— C'est entendu pour ta voiture, dit-il simplement.

Sa voix, elle aussi, paraissait normale. Une vieille habitude, songea-t-il. Déconnecter son attitude apparente du désarroi qu'il éprouvait. Ne pas paraître bouleversé alors qu'il aurait voulu hurler. Simple question d'entraînement.

— Il faudra, pour les papiers, que tu me laisses ton adresse, ajouta-t-il.

Elle promit machinalement, avec l'impression de vivre un cauchemar. Qu'est-ce qui avait changé ? Ce n'était pas Cameron ; comme à l'ordinaire, il la laissait libre de prendre ses décisions, et les respectait. C'était elle qui, pour la première fois, se sentait cruellement déchirée entre deux choix.

Elle réussit pourtant à sourire.

— Eh bien, donc... au revoir...

Une lueur énigmatique traversa le regard de Cameron, mais il ne bougea pas.

— Au revoir, répliqua-t-il avec une feinte nonchalance. Appelle-moi avant de quitter New York pour l'Alaska... et prends bien soin de toi.

Avec un petit signe de la main, elle s'éloigna d'un pas vif. Les dés étaient jetés. Et il n'y avait eu ni mots d'amour, ni reproches, ni promesses... Rien qui aurait pu la retenir. Rien pour venir refermer les portes de la cage, qu'elle avait elle-même ouvertes...

En se hâtant vers le terminal, elle ne comprit pas pourquoi les larmes ruisselaient sur ses joues.

Cameron, toujours immobile, entendit le claquement de ses talons décroître sur le sol de ciment. Lorsque la frêle petite silhouette eut disparu à l'extérieur du hangar, il eut son premier geste : son poing s'abattit avec violence sur un établi voisin. Un cri de rage, inarticulé, lui échappa. Il avait fait preuve d'une terrible faiblesse. Celle de la laisser partir ? Ou, au contraire, celle de la croire quand elle semblait, à l'inverse...

Il poussa un juron. Il s'était cru si près du but, cette fois ! Comment se faisait-il qu'à nouveau, le fragile oiseau migrateur un instant posé dans ses mains ait repris son vol ? Quelle erreur avait-il commise ?

Il serra les lèvres : ses yeux, à présent qu'il était seul, révélaient toute la colère et la déception qu'il avait soigneusement dissimulées à Joey. « Pourquoi donc te sens-tu aussi furieux ? » se murmura-t-il d'un ton à la fois sarcastique et désespéré. « Elle reviendra bien un jour ou l'autre, n'est-ce pas ? » Oui. Dans un an, dans deux ans. Et ils rejoueraient le même scénario, s'aimeraient pour se séparer à nouveau...

Peut-être cela valait-il mieux, après tout. Il pourrait replonger dans sa routine quotidienne, reprendre les calmes habitudes que la jeune femme était venue bouleverser. Avait-il besoin, en somme, du tourbillon, de l'instabilité qu'elle apportait avec elle ? Elle lui faisait perdre toute maîtrise de soi, ébranlait ses certitudes.

Il ricana. Belles certitudes, en vérité ! Et quelle vie passionnante, que se retrouver une fois de plus solitaire !

Etait-il vraiment obligé de laisser cela se reproduire à nouveau ? Un court instant, il se débattit entre plusieurs impulsions contradictoires. Tout semblait se mêler dans sa tête ; il vacilla, comme s'il piétinait au bord d'un précipice...

Puis, tout d'un coup, il n'hésita plus. D'un pas vif, il

sortit du hangar. Y avait-il une seule raison pour que Joey lui reste définitivement inaccessible ? Non. S'il le voulait vraiment, aucune ne l'arrêterait.

Une foule imposante, ce jour-là, s'apprêtait à prendre l'avion de New York. Joey attendit le dernier appel pour se joindre à la file des passagers. Elle s'efforçait de ne pas penser et avançait mécaniquement, comme elle l'avait fait si souvent auparavant, son sac sur l'épaule.

La file s'arrêta devant le bureau de contrôle et elle posa son sac en soupirant. Comment en étaient-ils arrivés là ? se demanda-t-elle pour la millième fois. Qu'aurait-elle dû dire ou faire pour... Rien, sans doute, dans la mesure où Cameron n'avait pas esquissé la moindre protestation. Comme à l'ordinaire, il avait fait preuve d'une plus grande lucidité qu'elle-même. Il savait qu'elle ne pouvait pas lui offrir ce qu'il recherchait, et c'était pour cela qu'il n'avait pas tenté de la retenir... qu'il ne voulait pas d'elle.

Elle dépassa le bureau et s'engagea dans le tunnel d'embarquement. L'anxiété, malgré ses efforts pour l'ignorer, croissait à nouveau en elle. Qu'était-elle en train de faire ? Quelle dette imaginaire essayait-elle d'acquitter, maintenant ? Au fond d'elle-même, elle n'avait aucune envie de partir en Alaska, de reprendre son travail d'infirmière. Après avoir fui, une première fois, le spectre de Bobby Williams, fuyait-elle ce qu'elle ressentait comme son échec auprès de Mary ?

Non, bien sûr. Quelle idée absurde ! Elle haussa les épaules. Tout cela n'avait rien à voir avec Mary, absolument rien.

Et pourtant... si, d'une certaine façon. Car dans l'échec relatif de la jeune mère, à s'accomplir comme épouse et maîtresse de maison. Joey reconnaissait ses propres craintes. En fait, en prenant cet avion, ne réagissait-elle pas de la même manière ? Elle choisissait, non sans une certaine lâcheté, l'échappatoire la plus facile...

La cohue se pressait dans l'étroit tunnel. Elle sentit un coude s'enfoncer dans ses côtes, la lourde valise d'un voisin lui battre les jambes et, pendant quelques secondes, sa panique familière la submergea.

Elle avait déjà éprouvé cela durant le concert, mais aussi à un autre moment... elle fronça les sourcils ; oui, à présent elle s'en souvenait. C'était juste avant de téléphoner à Albert Jordan.

Elle s'immobilisa, soudain pétrifiée, non par la peur mais par la lueur subite qui se faisait jour dans son esprit. Trois heures plus tôt, à peine, une angoisse incontrôlable l'avait poussée à se précipiter dans la fuite. Si elle s'était alors arrêtée pour réfléchir ne fût-ce qu'une minute, elle aurait pu envisager les autres possibilités qui s'offraient... Mais elle ne l'avait pas fait.

Elle fit volte-face et, marmonnant des excuses, s'efforça de remonter en sens inverse le flot des passagers. Certes, son cœur battait à une allure folle, et ses mains moites glissaient sur la poignée du sac ; mais cette fois, ce n'était pas à cause de la panique. Ce qui la poussait, au contraire, ressemblait beaucoup à un immense espoir... Peut-être s'agissait-il d'une folie, peut-être Cameron ne voudrait-il pas d'elle, mais désormais *elle ferait tout pour le convaincre.* Si jusque-là, ils n'avaient pas eu de place l'un pour l'autre dans leurs existences respectives, telles qu'elles étaient organisées, alors ils se créeraient une autre existence, à deux. Il n'y avait aucune raison pour qu'elle commette les mêmes erreurs que Mary. A présent, elle connaissait ses limites. Avec détermination, elle ferait de son rêve le plus secret une réalité... Toute sa vie, elle n'avait fait que tourner en rond dans le ciel, comme un oiseau autour du nid, mais maintenant elle allait s'y poser ; elle resterait auprès de Cameron.

Les gens protestaient vigoureusement tandis qu'elle se frayait un chemin. Au bout d'un moment, avec surprise, elle se rendit compte qu'un incident semblait se dérouler à l'entrée du tunnel. Des voix s'élevaient, rageuses... Elle tressaillit ; ne venait-elle pas d'entendre quelqu'un l'appeler par son nom ? Le bruit l'assourdissait, elle n'était pas sûre... Puis la voix la héla à nouveau, et elle reconnut celle de Cameron.

Elle s'arrêta, le cœur battant à tout rompre, les yeux fouillant frénétiquement la foule. Il s'avérait difficile de distinguer quoi que ce soit ; tout au plus devinait-on qu'une violente querelle se déroulait devant le bureau de contrôle.

— Joey, attends-moi ! hurla à nouveau la voix de Cameron, dominant le vacarme.

Résolument, elle reprit sa marche entravée par l'afflux des passagers, et tout d'un coup, elle l'aperçut, échevelé, se débattant avec virulence pour pouvoir avancer.

Une joie intense l'envahit, en même temps qu'une profonde surprise ; Cameron, qu'elle n'avait jamais vu perdre son sang-froid, se querellait en termes bien sentis avec ceux qui l'empêchaient de passer ! Elle n'en croyait ni ses yeux ni ses oreilles. Il réussit à parcourir trois mètres, puis fut rejoint par un contrôleur en uniforme qui l'attrapa sans ménagements. Il y eut des remous dans la foule ; elle le perdit un moment de vue et entendit une femme crier :

— Mon Dieu ! Il va kidnapper quelqu'un !

— Ou détourner l'avion ! renchérit un homme, terrifié.

Une hôtesse se faufila au milieu des passagers, les exhortant au calme :

— Il s'agit d'un simple incident... Nous vous prions de prendre patience quelques instants.

Sans l'écouter, Joey se débattit avec une rage accrue, murmurant des excuses, manquant à plusieurs reprises de perdre l'équilibre. Et, enfin, des bras puissants l'agrippèrent, la soulevant comme une plume... c'était Cameron.

Stupéfaite, elle s'aperçut qu'il avait sur l'œil une ecchymose bleuâtre, virant déjà au noir, et qu'un filet de sang coulait sur sa tempe. Sans lui laisser le temps de réagir, il l'entraîna vers la sortie en bousculant sans pitié les retardataires. Joey eut juste le temps d'entrevoir, contre un mur, l'employé en uniforme qui gémissait en se tenant l'estomac...

Il s'était battu ! Elle trouvait cela inouï. Il s'était battu pour elle...

Lorsqu'ils se retrouvèrent dans le hall, il s'arrêta enfin, la saisit aux épaules et la dévisagea d'un regard fiévreux.

— Je sais que je n'ai aucun droit de faire cela, Joey, lança-t-il d'une voix rauque. Je... je ne te demande pas de rester. Mais je viendrai avec toi, tu ne m'en empêcheras pas... Je ne peux pas nous laisser commettre à nouveau la même erreur. Tu ne sortiras plus de ma vie, Joey.

D'une main tremblante, elle effleura le sang qui

perlait à sa tempe. L'émerveillement la faisait frissonner d'une soudaine ivresse... Trop submergée par l'émotion pour pouvoir parler, elle se serra contre lui.

— Comprends-tu que plus rien ne pourra nous séparer ? reprit-il avec feu. Nous avons perdu beaucoup trop de temps, un temps précieux, à prétendre le contraire. Je ne te lâcherai plus, que tu sois au Texas, en Alaska ou même sur Mars... Cela m'est égal.

Elle leva vers lui des yeux brillants comme des étoiles, n'osant encore y croire. Il la dévisagea, puis son expression s'adoucit, comme s'il pensait soudain possible d'espérer...

— Tu es une part de moi-même, Joey, murmura-t-il. Lorsque tu pars, tu emportes avec toi tout... tout ce qu'il y a de plus vivant en moi. Nous avons besoin l'un de l'autre ; je t'aide à garder les pieds sur terre et toi, tu me rappelles qu'il faut aussi savoir rêver. Si tu me quittes à nouveau, c'est comme si nous étions chacun coupé en deux...

Il l'étreignit, le regard débordant de tendresse. Il semblait encore imperceptiblement anxieux, mais réussit à sourire en plaisantant :

— Et puis, si je ne suis pas là, qui donc te tiendra la main dans le tunnel ?

Le nœud qui serrait la gorge de la jeune femme se délia enfin. Levant vers lui un visage radieux, elle souffla :

— Je... j'étais en train de revenir vers toi, Cameron. Tout d'un coup, l'idée de monter dans l'avion m'est devenue insupportable. Je ne sais ce que je peux t'apporter, ni pourquoi tu souhaites m'avoir à tes côtés... Mais à présent je suis sûre d'une chose ; je... je ne peux plus vivre loin de toi. Je me suis soudain sentie incapable de te quitter... Oh, Cameron, pourquoi ne m'as-tu pas retenue avant? Pourquoi as-tu laissé les choses aller si loin?

Il la fixa avec intensité, d'abord presque incrédule, puis de plus en plus fou de joie, presque avec l'expression d'un enfant qui voit enfin son rêve se réaliser.

— Je pourrais... te poser la même question, n'est-ce pas? remarqua-t-il avec douceur. L'essentiel est que nous soyons tous deux, au même instant, revenus sur nos positions.

Elle hocha la tête, en souriant, et plaisanta d'une voix émue :

— Ton œil a doublé de volume depuis tout à l'heure... J'ai peine à croire que tu te sois battu pour moi, Cameron.

Il jeta un regard, par-dessus son épaule, à l'infortuné contrôleur qui semblait se sentir mieux mais grimaçait encore après avoir repris son poste.

— Je crains de m'être un peu emporté, répondit-il avec une pointe de remords. Mais je pense que je n'ai jamais eu, de toute ma vie, d'aussi bonnes raisons de... recourir à la force!

— Cela restera sans doute exceptionnel dans les annales, je n'en ai pas le moindre doute, taquina-t-elle avec tendresse.

A leur grande surprise, cependant, ils virent soudain deux gardes s'avancer vers eux, l'air grave.

Cameron poussa un juron.

— Mon adversaire semble avoir fait un rapport sur moi... Je risque fort de passer au poste les premières heures de notre lune de miel!

Elle se mit à rire, incapable désormais de prendre

le moindre incident au tragique. En outre, Cameron avait adopté une expression de dépit du plus haut comique.

— Ne t'inquiète pas, souffla-t-elle. Je t'apporterai un gâteau dans lequel j'aurai caché une lime solide !

Il se dérida à son tour.

— C'est trop facile, ma chère. Si tu m'aimais vraiment, tu viendrais avec moi jusque derrière les barreaux !

Elle le contempla, essayant de traduire dans son regard tout l'amour qu' elle ressentait et ressentirait toujours pour lui.

— Je te suivrai au bout du monde... Vois-tu, il te suffisait de tendre la main pour que j'y glisse la mienne.

Cameron oublia soudain qu'il se trouvait dans un aéroport et que deux gardes à l'air menaçant s'approchaient inéluctablement. Il ne vit plus qu'une petite fille blonde, perchée sur le rebord d'un toit, gracieuse comme un oiseau ; puis une jeune femme au visage rieur, assise sur l'herbe contre le tronc d'un pacanier, et tendant les bras vers lui. Et, sombrant de plus en plus dans sa merveilleuse rêverie, il imagina une vaste maison blanche, baignée de soleil, nichée au cœur de sa plantation, devant laquelle l'attendait la même jeune femme qui se dressait pour l'accueillir... Un peu plus loin, des enfants qui lui ressemblaient étonnamment se roulaient sur l'herbe, entre les arbres, en poussant des cris de joie. Puis ces enfants grandiraient, la vie poursuivrait son cycle tandis que leur mère garderait éternellement le même regard et, à ses yeux, la même jeunesse...

Le saisissant raccourci qui venait de lui passer devant les yeux, comme une lanterne magique, s'estompa. Et, tandis qu'un garde lui demandait ses papiers, il murmura :

— Je suis heureux d'avoir tendu la main, Joey.

Elle lui sourit, les yeux embués.

— Il n'existait pas de geste plus simple, n'est-ce pas ?

Achevé d'imprimer en octobre 1985
sur les presses de l'Imprimerie Bussière
à Saint-Amand-Montrond (Cher)

— N° d'imprimeur : 2156. —
— N° d'éditeur : 840. —
Dépôt légal : novembre 1985.

Imprimé en France